Editora Gente

CONTATOS COM O AUTOR

www.shinyashiki.com.br
e-mail: rshinyashiki@uol.com.br
Tel: (0xx11) 3872-6104

ROBERTO SHINYASHIKI

O SUCESSO É SER FELIZ

Editora Gente

O SUCESSO É SER FELIZ

Editora	*Rosely M. Boschini*
Coordenação editorial	*Marco Polo R. Henriques*
Produção gráfica	*Lúcia Kimura Speretta*
Capa	*Magy Imoberdorf e Karsten Mohr*
Foto capa	*Eduardo Girão*
Projeto gráfico	*ACPaima Comunicação*
Fotos miolo	*Olíbio Santana*
Preparação	*Dorothy Maia e Luiz Roberto Clauset*
Revisão	*Kika de Freitas*
Editoração eletrônica	*Saga Ltda.*

Dados Internacionais de Catalogação na Publicação (CIP)
(Câmara Brasileira do Livro, SP, Brasil)

Shinyashiki, Roberto T., 1952-

O sucesso é ser feliz / Roberto Shinyashiki. — São Paulo : Editora Gente, 1997.

ISBN 85-7312-134-3

1. Autoconhecimento 2. Conduta de vida 3. O eu 4. Felicidade 5. Meditação 6. Psicologia aplicada I. Título.

97-3634 CDD-158.1

Índices para catálogo sistemático:

1. Autoconhecimento : Felicidade : Psicologia aplicada 158.1
2. O eu : Desenvolvimento : Felicidade : Psicologia aplicada 158.1

Rua Pedro Soares de Almeida, 114. São Paulo, SP
CEP 05029-030. Telefax: (011) 3675-2505
Endereço na Internet: http://www.editoragente.com.br
E-mail: gente@editoragente.com.br

Para Claudia,
um ponto de luz no horizonte.

A meus filhos Leandro, Ricardo, Arthur e André, por serem meus companheiros de viagem e me darem a honra de ter me escolhido para estarmos juntos nessa jornada.

À turma do MBA-Executivo da Universidade de São Paulo, especialmente a James Wright, Marcos Campomar e Lindolpho Albuquerque, pela convivência muito alto-astral.

A meus amigos Lucia Moreira Shinyashiki, Luiz Costacurta, Nielce Filleti, Katia Cintra, Jankel Fuks, Miguel Filiage, Bene Catanante, Luís Altenfelder, Felix Barbosa, Silvia Mestriner e Magy Imoberdorf, pela força que vocês me dão em todos os momentos.

A todos aqueles que leram os manuscritos e deram sugestões valiosas, especialmente Maria Julia Paes da Silva, Ivan Evangelista Júnior, Roberto Lang e Maria Aparecida Scarelli.

À turma do Instituto Gente e da Editora Gente, por cuidar de meus assuntos mundanos para que eu possa fazer meus vôos existenciais...

A Ricardo Lerner, Caio Alfaia, Lucia de Bartolo, Ana Maria Cohen, Eva Natalina Lavezzo e a toda a turma dos nossos projetos assistenciais, por serem tão generosos com a humanidade...

A todos os contadores de histórias que abastecem meu repertório, aos quais peço desculpas por não citar nominalmente porque não me lembro da autoria de cada uma.

E, como em tudo o que faço em minha vida, a gratidão a meus pais por me prepararem para a vida com muito amor e garra.

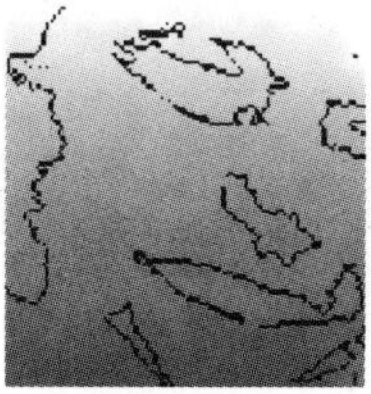

O SUCESSO ÉS

Uma crônica sobre o viver

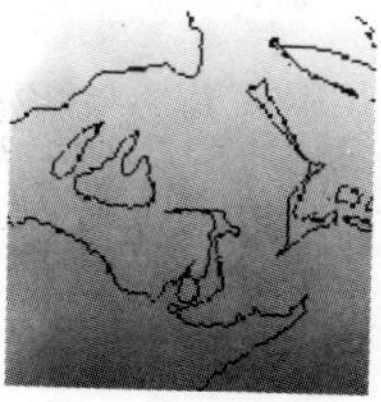

Era seu último dia de vida, mas ele ainda não sabia disso.

Naquela manhã, sentiu vontade de dormir mais um pouco. Estava cansado porque na noite anterior fora se deitar muito tarde. Também não havia dormido bem. Tinha tido um sono agitado. Mas logo abandonou a idéia de ficar um pouco mais na cama e se levantou, pensando na montanha de coisas que precisava fazer na empresa.

Lavou o rosto e fez a barba correndo, automaticamente. Não prestou atenção no rosto cansado nem nas olheiras escuras, resultado das noites maldormidas. Nem sequer percebeu um aglomerado de pêlos teimosos que escaparam da lâmina de barbear.

"A vida é uma seqüência de dias vazios que precisamos preencher", pensou enquanto jogava a roupa por cima do corpo.

Engoliu o café e saiu resmungando baixinho um "bom-dia", sem convicção. Desprezou os lábios da esposa, que se ofereciam para um beijo de despedida. Não notou que os olhos dela ainda guardavam a doçura de mulher apaixonada, mesmo depois de tantos anos de casamento. Não entendia por que ela se queixava tanto da ausência dele e vivia reivindicando mais tempo para ficarem juntos. Ele estava conseguindo manter o elevado padrão de vida da família, não estava? Isso não bastava?

Claro que ele não teve tempo para esquentar o carro nem sorrir quando o cachorro, alegre, abanou o rabo. Deu a partida e acelerou. Ligou o rádio, que tocava uma antiga canção do Roberto Carlos, "detalhes tão pequenos de nós dois..."

Pensou que não tinha mais tempo para curtir detalhes tão pequenos da vida. Anos atrás, gostava de assistir ao programa de Roberto Carlos nas tardes de domingo. Mas isso fazia parte de outra época, quando podia se divertir mais.

Pegou o telefone celular e ligou para sua filha. Sorriu quando soube que o netinho havia dado os primeiros passos. Ficou sério quando a filha lembrou-o de que há tempos ele não aparecia para ver o neto e o convidou para almoçar. Ele relutou bastante: sabia que iria gostar muito de estar com o neto, mas não podia, naquele dia, dar-se ao luxo de sair da empresa. Agradeceu o convite, mas respondeu que seria impossível. Quem sabe no próximo final de semana? Ela insistiu, disse que sentia muita saudade e que gostaria de poder estar com ele na hora do almoço. Mas ele foi irredutível: realmente, era impossível.

Chegou à empresa e mal cumprimentou as pessoas. A agenda estava totalmente lotada, e era muito importante começar logo a atender seus compromissos, pois tinha plena convicção de que pessoas de valor não desperdiçam seu tempo com conversa fiada.

No que seria sua hora do almoço, pediu para a secretária trazer um sanduíche e um refrigerante diet. *O colesterol estava alto, precisava fazer um* check-up, *mas isso ficaria para o mês seguinte. Começou a comer enquanto lia alguns papéis que usaria na reunião da tarde. Nem observou que tipo de lanche estava mastigando.*

Enquanto relacionava os telefonemas que deveria dar, sentiu um pouco de tontura, a vista embaçou. Lembrou-se do médico advertindo-o, alguns dias antes, quando tivera os mesmos sintomas, de que estava na hora de fazer um check-up. *Mas ele logo concluiu que era um mal-estar passageiro, que seria resolvido com um café forte, sem açúcar.*

Terminado o "almoço", escovou os dentes e voltou à sua mesa. "A vida continua", pensou. Mais papéis para ler, mais deci-

sões a tomar, mais compromissos a cumprir. Nem tudo saía como ele queria. Começou a gritar com o gerente, exigindo que este cumprisse o prometido. Afinal, ele estava sendo pressionado pela diretoria. Tinha de mostrar resultados. Será que o gerente não conseguia entender isso?

Saiu para a reunião já meio atrasado. Não esperou o elevador. Desceu as escadas pulando de dois em dois degraus. Parecia que a garagem estava a quilômetros de distância, encravada no miolo da terra, e não no subsolo do prédio.

Entrou no carro, deu a partida e, quando ia engatar a primeira marcha, sentiu de novo o mal-estar. Agora havia uma dor forte no peito. O ar começou a faltar... a dor foi aumentando... o carro desapareceu... os outros carros também... Os pilares, as paredes, a porta, a claridade da rua, as luzes do teto, tudo foi sumindo diante de seus olhos, ao mesmo tempo em que surgiam cenas de um filme que ele conhecia bem. Era como se o videocassete estivesse rodando em câmara lenta. Quadro a quadro, ele via a esposa, o netinho, a filha e, umas após outras, todas as pessoas de que mais gostava.

Por que mesmo não tinha ido almoçar com a filha e o neto? O que a esposa tinha dito à porta de casa quando ele estava saindo, hoje de manhã? Por que não foi pescar com os amigos no último feriado? A dor no peito persistia, mas agora outra dor começava a perturbá-lo: a do arrependimento. Ele não conseguia distinguir qual era a mais forte, a da coronária entupida ou a de sua alma rasgando.

Escutou o barulho de alguma coisa quebrando dentro de seu coração, e de seus olhos escorreram lágrimas silenciosas. Queria viver, queria ter mais uma chance, queria voltar para casa e beijar a esposa, abraçar a filha, brincar com o neto... Queria... Queria... Mas não havia mais tempo...

1
A revolução da felicidade

Quando observo o estilo de vida da maioria das pessoas, percebo que o final do filme é sempre triste. Muita correria sem sentido, vida cheia de preocupações, falta de alegria e angústia.

Pais que mesmo amando os filhos não conseguem transformá-los em adultos bem formados.

Indivíduos que não conseguem transformar o carinho pela pessoa amada em relacionamento gratificante.

Profissionais que não conseguem transformar seu talento em realizações produtivas.

Gente rica agindo de modo mesquinho em relação ao próximo.

Depois de minhas palestras, muitas pessoas me procuram para falar das pressões que sofrem. Geralmente, elas perguntam: "Será que tudo isso está valendo a pena?"

A angústia tem sido uma companheira constante.

Será que é preciso abrir mão de tudo para ser feliz?

Não necessariamente. É possível às pessoas realizar todos os seus sonhos sem tanto sofrimento e criar um estilo de vida em que predomine o alto-astral. O que conta não é tanto *o que* você faz, mas *como* você procura realizar suas metas. É isso que vai determinar sua qualidade de vida.

Quando o indivíduo tem compromisso com sua essência, a vida não se torna um fardo pesado de carregar.

A maioria dos terapeutas afirma que as pessoas não costumam mergulhar dentro de si porque têm medo de encontrar um mundo de sombras, inveja, ressentimentos. Minha opinião é radicalmente oposta. Na verdade, as pessoas têm medo de olhar para dentro de si e encontrar beleza, luz e força. Muitas têm medo de ir até o tesouro escondido que há dentro delas e conferir suas riquezas. A vida das pessoas é a história de príncipes vivendo como mendigos.

Mas, como diz o ditado popular, "quem nasce rei não perde a majestade", por isso, um dia, inevitavelmente, todos tomam consciência de sua luz interior.

Quando as pessoas descobrem a beleza que carregam na alma, logo se dão conta das infinitas possibilidades de transformação que podem realizar em suas vidas. Ao olhar para dentro de si e descobrir sua força, deixam de viver como escravas e imediatamente assumem sua grandeza, abrindo a porta da gaiola onde vivem e voando por todo o universo.

Não tenha medo de ser você. Talvez os outros digam que você é egoísta, que só pensa em si mesmo, que antigamente fazia tudo para agradar e que agora mudou. Paciência, nem Cristo contentou a todos. Chegou a hora de assumir o comando de sua vida.

> *Decidi escrever este livro ao ver tanta gente desperdiçando suas vidas e perceber que está na hora de acontecer a revolução da felicidade.*

Felicidade é como dieta. Todo mundo sabe o que tem de fazer para conseguir seu objetivo, mas a maioria não põe em prática esse conhecimento. Portanto, mais do que lhe apresentar novas informações sobre a vida, quero, com este livro, despertar sua motivação para que comece a cuidar um pouco melhor de você mesmo.

Todos vão lucrar com isso...

A felicidade é possível

Você pode dizer que sou um sonhador,
mas não estou sozinho nisso.
Espero que um dia você se junte a nós,
e o mundo será como se
fosse um só.

John Lennon

A luta pela sobrevivência está brutalizando o ser humano. As pessoas vivem extremamente pressionadas. A competição tem servido como justificativa para todos os tipos de absurdos. Milhões de anos depois do homem das cavernas, a vida continua sendo um campo de batalha. As pessoas destroem a si mesmas e aos outros para atingir suas metas. A maneira como constroem seu sucesso é agressiva, e a vitória é saboreada solitariamente, devido ao medo dos adversários.

O preço disso tudo tem sido muito alto. É impressionante o aumento do número de famílias desagregadas, do consumo de drogas e da violência insana que nos cerca. Há empresas cujos gerentes, com mais de dez anos de casa, sofreram infarto. Em muitas delas, as pessoas são consumidas como laranjas: espreme-se o suco e joga-se fora o que delas sobrou, o bagaço. Perdeu-se a dimensão do ser humano. Os *Tempos Modernos* de Chaplin estão cada dia mais atuais.

A sociedade transformou-se em um liquidificador de sonhos, triturando a nobreza da maioria das pessoas. Os sonhos vão sendo substituídos por destruição.

Na adolescência, queremos viver um grande amor, mas depois dominamos a pessoa amada.

Na juventude, sonhamos criar um planeta melhor, mas depois de algum tempo só pensamos em juntar o máximo possível de dinheiro.

Queremos ser amigos de nossos filhos, mas exigimos deles obediência incondicional.

No começo da vida profissional, toda pessoa quer um trabalho que a realize. Algum tempo depois, essa realização significa conseguir dinheiro suficiente para comprar tudo aquilo que se deseja ou para pagar as contas no final do mês.

Chamam a isso processo de maturidade. As pessoas substituem a ingenuidade pelo realismo. Na verdade, o que ocorre é um empobrecimento da vida. Os sonhos vão se atrofiando, diminuindo de tamanho, até se reduzir a prêmios de consolação.

Como uma loteria, a sociedade cria prêmios. Todos apostam suas vidas, mas poucos efetivamente conseguem sua realização pessoal. É triste ver tanta gente correndo atrás de ilusões.

Basta! Está na hora de colocarmos um ponto final nessa mentalidade pobre em que, para alguém ganhar, outro tem de perder. Mentalidade miserável como essa só pode criar um mundo miserável. A exploração começa na empresa, passa por marido ou esposa, chega aos filhos e, no final, você descobre que o maior prejudicado foi você mesmo. A lei da selva precisa acabar, e, para que isso aconteça, deve primeiro desaparecer dentro de nós.

É perfeitamente possível ganhar muito dinheiro e construir uma família feliz. Ter uma empresa lucrativa, na qual todos se sintam felizes de trabalhar. Ter um casamento feliz e criar uma vida profissional gratificante. Tudo isso é possível quando se tem fé na existência.

Na Índia, acredita-se que Deus pronuncia apenas a palavra "sim". Na verdade, Ele não diz sim para o que as pessoas pedem, mas para aquilo em que elas acreditam. Se você não acredita na felicidade, Ele apenas pode ajudá-lo a ver que tem razão.

A propósito desse assunto, vou contar a história de um médico que fazia uma palestra a um grupo de alcoólatras. Ao iniciar a apresentação, disse: "Hoje vou realizar uma experiência para mostrar a vocês o efeito do álcool". Levantou um copo e afirmou: "Aqui dentro há álcool". Com uma pinça, pegou um verme, mostrou-o para a platéia e o soltou dentro do copo. Imediatamente o verme se desfez, causando impacto nos presentes. Em seguida, ele levantou outro copo e disse: "Aqui dentro há água". Novamente pegou outro verme e o soltou dentro do copo. O verme se mexeu, mostrando sua energia. Nesse momento, no meio da platéia, um indivíduo embriagado levantou a mão e, com voz pastosa, disse: "Entendi bem o que o doutor quis dizer, e concordo inteiramente. Sua mensagem é sensacional". Feliz, o médico pediu: "Por favor, diga em voz alta, para que todos escutem, qual é a minha mensagem". Solícito, o indivíduo declarou: "Doutor, o senhor acabou de mostrar com essa experiência que quem bebe não tem verme no organismo!"

A tendência das pessoas é querer mostrar que sempre estão certas.

Preste atenção, portanto, às suas crenças, pois elas vão se concretizar.

Em um mundo altamente competitivo, precisamos ser competentes, e muito. Mas também devemos saber que nossa maior missão nessa viagem pelo planeta é ser felizes e criar oportunidade para que os outros também sejam.

A primeira transformação necessária para que ocorra a felicidade é passar a acreditar na possibilidade de um mundo onde todos possam se realizar. Empresas cujos acionistas e colaboradores sintam que sua participação vale a pena. Casamentos em que ninguém precise se anular para que os dois continuem juntos. E, principalmente, um mundo onde cada pessoa seja respeitada por sua maneira de ser.

Talvez você considere isso uma utopia, mas esse mundo

verdadeiramente digno dos seres humanos só vai acontecer quando acreditarmos e trabalharmos por ele.

Felicidade também é lucro

Há alguns anos, participei como bolsista de um programa no Japão, juntamente com empresários de mais treze países.

Quando alguém visita uma empresa recebe, geralmente, o histórico e o balanço financeiro, que demonstram a sua forma de atuação. Ao analisar o balanço e o momento da empresa que visitávamos, um mexicano sugeriu ao administrador que demitisse quatrocentos funcionários, pois isso dobraria seus lucros.

O administrador olhou para nosso companheiro e, calmamente, respondeu: "No Ocidente, vocês costumam ver o dinheiro como única forma de lucro. Mas para mim lucro não é só recompensa financeira.

Lealdade aos meus funcionários também é lucro.

A sensação de estar construindo uma nação forte também representa um grande lucro. E a tranqüilidade de realizar minha missão de vida é a maior de todas as formas de lucro".

Nossas riquezas ultrapassam o lado material. Elas existem em infinitas dimensões. Muitas pessoas enxergam nelas unicamente bens materiais, algo que exige capacidade para conquistar. Mas é importante que estejamos preparados para extrapolar qualquer limitação do que seja riqueza. As pessoas vivem tão obcecadas por dinheiro, sexo e poder que se esquecem de viver.

O mestre Osho diz que as pessoas deveriam deixar de tentar resolver seus problemas através da hipnose e começar a fazer uma *des-hipnose*. Isso porque, na infância, ouviram tantas bruxarias que ficaram hipnotizadas, foram levadas a crer que não eram capazes, bonitas nem poderiam desfrutar a dádiva da vida. Dentro da maioria das pessoas existe a crença de que a vida não vale a pena, de que a felicidade não é possível, e por isso elas vivem desesperançadas, como num sonho da Bela Adormecida. Vivem como sonâmbulas, acreditando que estão acordadas.

Às vezes, as pessoas ameaçam acordar, têm lampejos durante os quais conseguem vislumbrar o que poderiam ser, mas voltam para o sono.

É importante perceber que o despertar depende de você.

Depois de sofrer um derrame cerebral, Fernandez ficou entrevado e preso ao leito. Certo domingo, sozinho em casa — os empregados estavam de folga e seus familiares tinham saído —, Fernandez olhou pela janela do quarto e viu seu pior inimigo, Rodrigo, subindo a rua em direção à sua casa. Eles haviam sido inimigos a vida inteira, lutado um contra o outro.

Rodrigo entrou na casa de Fernandez, foi até seu quarto e, da porta, apontou-lhe uma arma: "Vou matá-lo, desgraçado. A vida inteira você me prejudicou, agora chegou minha vez de destruí-lo".

Fernandez olhou para o inimigo com paciência e disse: "Deixe de lado essa idéia. É bobagem prosseguir com essas loucuras que fizemos na juventude. Agora, nada disso tem sentido. Não podemos viver querendo destruir um ao outro". Insensível à argumentação, Rodrigo respondeu que não o perdoava e que queria mesmo destruí-lo para se vingar de tudo o que tinha sofrido.

Fernandez novamente pediu clemência e, em certo momento, argumentou: "Vamos deixar isso pra lá, estamos muito velhos, brevemente morreremos". Mas Rodrigo insistiu: "Eu não vou morrer, você é quem vai. E não existe mais nada que você possa fazer para evitar sua morte". Naquele instante, Fernandez pensou: "Existe sim. Posso despertar desse pesadelo". E despertou.

A maior parte de nossos sofrimentos provém de nossas crenças, da maneira como achamos que a vida será resolvida. Simplesmente não percebemos que, com a consciência, podemos despertar de nossos pesadelos e começar a viver. Acorde! Existe muito mais para ser vivido do que o sono nos deixa ver.

O melhor sucesso é ser feliz

Sucesso virou uma palavra da moda. Todos querem brilhar e receber aplausos. Mas qual será o preço disso? Quando o preço do sucesso é a própria vida, certamente não compensa. Será que é preciso gastar tanta energia para decidir se o paletó deve ter dois ou três botões?

A estrada pela qual caminha a maior parte da humanidade não leva à felicidade.

O ser humano tem vocação natural para a felicidade, mas vive correndo atrás de miragens, ilusões, que não preenchem sua existência. As vitórias só têm sentido quando levam à felicidade.

É preciso saber lutar como um leão, mas lutar por sonhos que valham a pena.

> *Lutar para ser admirado pelos outros é tolice. Realize seus sonhos com a naturalidade de um rio que sabe por onde corre, e não para que alguém o aplauda.*

Lutar para mimar os filhos é outra tolice. Ajude-os a acreditar em si próprios e liberte-os de sua dependência.

Lutar para que os pais realizem seus desejos é perda de tempo. Seus pais já fizeram a parte deles. Agora é com você.

Lutar para subjugar o marido ou a esposa também não vale a pena. Onde impera o medo, o amor é inócuo.

Lutar para que seu antigo amor se arrependa da separação e volte para você tampouco dá resultado.

Liberte seu coração e deixe que ele construa seu futuro.

Lutar para que os outros tenham pena de você também é inútil. Você tem grandeza suficiente para dispensar a compaixão.

Quando, no final da vida, as pessoas percebem que lutaram por algo sem valor, o arrependimento é inevitável. Lutar só vale a pena quando a causa é nobre. O valor de uma vitória reside no significado da luta. Lutar simplesmente por lutar, para se mostrar rebelde, não conduz a nada. Use sua energia para construir sua felicidade.

A luta é indispensável para realizar as metas da alma, ou seja, lutar é saudável quando se constrói a felicidade.

O mais importante de tudo é poder ter a sensação de que viver vale a pena.

Viver a plenitude da experiência de brincar com uma criança ou saborear uma fruta. Apreciar o contato dos pés descalços com um gramado ou com a areia da praia. Perceber o vento batendo no rosto ou a água da chuva escorrendo pelos cabelos. Sentir a alegria de um pescador voltando para casa com o alimento para sua família.

O verdadeiro sucesso é satisfazer sua ânsia de felicidade, cumprir sua vocação de ser feliz. E isso você só consegue quando se relaciona com sinceridade com as pessoas que ama, quando é amigo de seus filhos e, principalmente, quando consegue ser amigo de si próprio.

Ser amigo de si próprio é compreender seus erros, é ser seu cúmplice para enfrentar os desafios, é motivar-se para superar novos obstáculos e, principalmente, desfrutar ao máximo a sensação de felicidade, sem culpa nem medo.

Ser feliz é o mais compensador de todos os sucessos.

A missão...

"E o mestre lhes falou:

— Se um homem dissesse a Deus que o que mais queria era diminuir o sofrimento no mundo, fosse qual fosse o preço disso, e Deus lhe respondesse, deveria esse homem fazer o que lhe tivesse sido ordenado? — indagou o mestre.

— Claro, mestre! Para esse homem deveria ser um prazer sofrer até mesmo as torturas do inferno, desde que Deus assim lhe solicitasse!

— Não importa que torturas fossem essas nem a dificuldade da tarefa? — insistiu o mestre.

— Seria uma honra ser enforcado, uma glória ser pregado a uma árvore e queimado se Deus assim desejasse.

— E o que fariam vocês — perguntou o mestre diante da multidão — se Deus em pessoa lhes falasse diretamente: "ORDENO-LHES QUE SEJAM FELIZES NO MUNDO ENQUANTO VIVEREM?"

Fez-se silêncio na multidão, e mais nenhuma voz ou som foi ouvido sobre os morros e pelos vales..."

Ilusões, Richard Bach

Viver

Tempos atrás, você era um anjo que vivia no paraíso. Era mais ou menos como um atleta sentado no banco de reservas querendo participar da partida. De repente, você olhou para o planeta Terra e viu que o jogo estava difícil, o resultado era negativo, e então pediu ao Grande Técnico uma oportunidade para vir à Terra ajudar o time.

Agora você está em campo, disputando a partida da sua vida. Você se lembra do seu objetivo existencial? O Técnico continua dando as orientações, mas será que você as está seguindo?

Dentro de alguns anos, quando voltar para o vestiário e encontrar o Grande Técnico, ele vai lhe perguntar: "Como é que foi? Conseguiu realizar sua missão?"

Qual será sua resposta?

"Não, simplesmente fui mais um que viveu frustrado."

Ou você vai poder encará-lo e dizer:

> *"Vivi e fui feliz! Com minha felicidade contribuí com mais luz para o planeta."*

Certamente, Ele vai recebê-lo com um sorriso de parabéns, um abraço carinhoso e se sentirá muito orgulhoso de você.

Não seja mais um frustrado. O mundo está repleto de seres infelizes. O universo precisa de muita luz. Algo que somente a alegria pode criar.

Deus é muito meu amigo, nós conversamos todos os dias. Ele sempre me orienta, e Seus conselhos apontam na direção da felicidade, trazendo um alto-astral a minha vida. Como eu acredito Nele!

2
A felicidade

Quando eu era criança, sentia-me muito infeliz. Havia tantas coisas que queria fazer e não podia! Quando me sentia frustrado, pensava no dia em que entraria na escola. Seria então muito feliz. Tudo daria certo, passaria a ser mais respeitado e não teria mais problemas. Quando entrei no primário, percebi que ainda faltavam muitas coisas para ser feliz.

Então achei que, quando passasse para o ginásio, seria totalmente feliz. Mas também não foi assim. Mais uma vez adiei minha expectativa de felicidade. Imaginei que, quando subisse um pouco mais os degraus do conhecimento e fosse para o colegial, finalmente seria feliz. Mas minha insatisfação continuou. Ah, mas quando entrasse na faculdade de Medicina a felicidade viria inevitavelmente! Outra frustração. Os problemas continuavam e a angústia aumentava. Quando me tornasse médico, pensei, alcançaria a felicidade. Teria poder, dinheiro, as pessoas me respeitariam e, dali em diante, tudo daria certo para mim.

Demorou, mas acabei percebendo que não era desse jeito que a vida funcionava. Não havia um momento definitivo de felicidade. Então concluí que a felicidade não existia.

Até que um professor me disse que não existia felicidade, mas apenas momentos felizes, e que nós tínhamos de aproveitá-los para poder desfrutar a vida o melhor possível.

"É isso mesmo!", pensei. Nos momentos em que vivia o amor ou conseguia uma vitória no trabalho, me sentia bem. Felicidade devia ser algo parecido com isso. Esses momentos me davam a sensação de paz, tranqüilidade, e isso devia ser a felicidade. Entretanto, depois de algum tempo, percebi que faltava alguma coisa mais. Não era possível que felicidade fosse só aquilo. Tanta luta por tão pouca recompensa!

Em 1986, tinha conquistado tudo o que imaginei ser possível para me tornar feliz. Mas eu vivia frustrado, perguntava-me se a vida era só uma coletânea de momentos. Como sempre fui muito religioso, não acreditava que o Criador fosse capaz de me mandar para essa viagem por tão pouco. Deveria haver algo mais. Assim, decidi ir para o Oriente conversar com os mestres e saber o que eles pensavam a respeito da felicidade.

Fui para o Nepal, mais exatamente para um mosteiro budista nos arredores de Katmandu. Chegar àquele lugar já foi uma epopéia. Uma viagem de avião até Londres, outra até Nova Délhi e mais uma até Katmandu.

Um amigo havia me indicado um mestre que vivia ali. Instalei-me em um hotel e saí à procura do mosteiro. Na portaria, a pessoa que me atendeu disse que ele iria me receber às 9 horas da manhã seguinte.

Naquela noite praticamente não dormi. Fiquei excitado com a possibilidade de me ser revelado o segredo da felicidade. Saí ainda de madrugada do hotel, na esperança de o mestre estar disponível e poder conversar mais cedo comigo. Fiquei esperando até que, por volta de 9 horas, uma mulher que falava inglês com sotaque francês entrou na sala.

Imaginei que me levaria ao mestre. Acompanhou-me até uma sala, estendeu uma almofada e pediu para que me sentasse a sua frente. Era uma moça morena, jovem, muito bonita, a quem pedi:

— Quero falar com o mestre.

Ela então me respondeu:

— Eu sou o mestre.

Não consegui esconder meu desapontamento e raciocinei:

"Viajei tanto para chegar até aqui e conversar com um mestre de verdade, e me aparece uma mestra francesa! Todo mundo procura um mestre velhinho, oriental, com longas barbas. Não uma mulher jovem e bonita, que nem nasceu no Oriente!"

Resolvi insistir:

— Você não entendeu direito, quero falar com o mestre.

E novamente ela me respondeu:

— Eu sou o mestre.

Então pensei: "Vou fazer uma pergunta bem difícil para que ela se sinta embaraçada e me leve ao mestre de verdade".

— O que é budismo? — perguntei.

Tranqüilamente, ela me respondeu:

— A base do budismo é o fato de que todo ser humano sofre.

Pensei comigo mesmo: "Não é possível. Saio da cultura ocidental, que prega o sofrimento como base da purificação e da sabedoria, e aqui ouço que a base do budismo é o sofrimento?" Não satisfeito, resolvi fazer uma pergunta ainda mais difícil para que ela não soubesse a resposta e me levasse ao verdadeiro mestre:

— E por que os seres humanos sofrem?

— Porque são ignorantes — ela respondeu.

Pensei: "Bem, se são ignorantes, deve haver alguma coisa que não saibam e que talvez seja a resposta para o que estou procurando".

— E qual é o conhecimento que nos falta? — arrisquei.

— O que precisamos ter é a compreensão de que as coisas na nossa vida são dinâmicas e fluidas. Quando o ser humano está feliz bloqueia a felicidade, pois deseja a eternidade para esse momento. Torna-se rígido, com medo de que o prazer acabe. Quando está infeliz, julga que o sofrimento não terá fim, mergulha na sombra, e assim amplia sua dor.

A mestra continuou:

— Como as ondas do mar, a vida é dinâmica. É tão certa a subida quanto a descida. Cada momento tem sua beleza. No prazer nós nos expandimos e na dor nos contraímos. Um movimento é complementar ao outro. Saber apreciar a alegria e a dor constitui a base da felicidade. Você não pode ser feliz somente quando tem prazer, pois perderá o maior aprendizado da existência. Você deve descobrir um jeito de ser feliz na experiência dolorida porque ela carrega a oportunidade de desenvolvimento.

À medida que a mestra falava, meu queixo caía. Como ela tinha atingido tanta sabedoria? Por que eu não havia chegado antes àquelas conclusões? Será que, finalmente, iria conhecer o segredo da felicidade?

E ela continuava a me ensinar:

— Não desfrute somente o sol, aprecie também a lua. Não desfrute somente a calmaria, aproveite a tempestade. Tudo isso enriquece a existência. A vida não acontece somente dentro de uma casa, de uma cidade, de um país: ela tem de ser experimentada dentro do universo. A felicidade é um jeito de viver, é uma conduta, é uma maneira de estar agradecido ao sol, à lua, a quem lhe estende a mão e também a quem o abandona, pois certamente nesse abandono está a possibilidade de você descobrir a força que existe em seu interior. A felicidade não é o que as pessoas têm, mas o que elas fazem com isso. Por esse motivo há pessoas que, apesar de ter bens materiais, de ser bem relacionadas, com filhos saudáveis, ainda assim se sentem angustiadas e deprimidas.

Encantado com suas palavras, consegui apenas balbuciar antes de sair:

— Obrigado, mestra!

No caminho de volta, fiquei pensando: "A felicidade não é o que acontece na nossa vida, mas como nós elaboramos esses acontecimentos. A diferença entre o sábio e o ignorante é que o primeiro sabe aproveitar suas dificuldades para evoluir, enquanto o segundo se sente vítima de seus problemas.

A felicidade é uma experiência ligada à sabedoria.

Qualquer estúpido pode ser infeliz. Não é necessário alguém especial para ver problemas em qualquer coisa, a qualquer hora. Aliás, há pessoas que não desperdiçam uma oportunidade de sofrer. Mas saber transformar pequenos acontecimentos em fonte de alegria é habilidade de poucos.

O aprendizado

À medida que as pessoas evoluem e amadurecem, passam por três fases no processo de percepção da felicidade:

A primeira delas acontece na infância. A criança concebe a felicidade como o "prazer eterno". Acredita que a felicidade deva fazer parte de todos os momentos de sua vida. É o princípio da busca do prazer. Com o tempo, e as sucessivas frustrações, essa criança passa a colocar no futuro sua expectativa de felicidade.

Muitas pessoas não ultrapassam essa fase e, quando se sentem afetivamente infelizes, continuam imaginando que a qualquer momento aparecerá um príncipe encantado para realizar seu sonho de felicidade. Acham, por exemplo, que encontrarão um emprego no qual poderão ser felizes diariamente. Quando abraçam uma carreira, deduzem que só prazer encontrarão nela. Por isso, muitos não conseguem se realizar profissionalmente: na expectativa do prazer, não se preparam para lidar com o sacrifício.

Numa segunda fase, as pessoas assimilam suas frustrações e passam a acreditar que a vida é apenas uma coleção de momentos felizes. Algumas desistem, então, de viver uma relação consistente e duradoura para procurar prazer em encontros sexuais fortuitos. Nesse caso, a felicidade se esvazia porque se restringe a momentos. É o caso das pessoas que só se sentem felizes quando estão à mesa, durante as refeições, ou das que trabalham o mês inteiro, mas só se sentem felizes no dia do pagamento. Essa é uma fase de pobreza existencial.

Finalmente, nesse processo evolutivo, chegamos à fase da sabedoria, na qual percebemos ser necessário aproveitar ao máximo as alegrias da existência, não desperdiçar nenhum acontecimento da vida, desfrutar cada situação, cada momento, cada lição, para evoluir e crescer. Permitimo-nos, dessa forma, mergulhar em cada momento da vida.

Nessa fase, as pessoas sabem aproveitar todos os acontecimentos que ocorrem no trabalho e no amor. Utilizam a dor para se aprimorar e adquirem uma visão global da vida, usufruindo a riqueza de estar vivas.

Esse é o processo de aprendizado da felicidade ensinado por todos os mestres. Mas o importante não é o mestre, e sim o discípulo.

> *Quando o discípulo está preparado, o mestre sempre aparece — seja como uma mulher francesa, seja na forma do pai, de um colega de trabalho, de um animal de estimação, de uma criança caminhando pela relva.*

Isso acontece quando se está aberto a todas as lições da vida, e é a forma de se graduar na escola da existência.

3

Da Infelicidade à felicidade

Talvez você venha pensando ultimamente que está na hora de transformar sua vida. Parece que, enquanto todos vivem uma vida colorida, você não consegue sair do cinza. Mas o que importa não é saber se os outros estão mais ou menos felizes, e sim o que fazer para saborear mais a sua vida.

Vamos então aproveitar esse desejo de reforma e ir além do clássico banho de loja, corte de cabelo ou final de semana na praia. Os cuidados pessoais são importantes, mas é preciso avançar além disso. É chegada a hora de fazer uma revolução. Não adianta só aparar o mato, pois ele crescerá de novo. O importante é arrancar as raízes da neurose e não apenas maquiá-la para que fique mais aceitável.

Sua vida muda quando você muda.

Ou seja, quando há uma transformação em sua maneira de encarar o mundo. Mas atenção: as mudanças nunca ocorrem amanhã, mas sempre hoje, no presente. Não acontecem quando alguma coisa no mundo, ou nas pessoas que o cercam, se modifica, mas quando algo muda dentro de você. É o momento em que a consciência domina o vício.

O primeiro passo para promover uma mudança é libertar-se da imagem que você transmite aos outros. Certamente, muito da sua maneira de ser é pura representação. É muito bom que as pessoas reconheçam seu talento, suas habilidades. Mas também é muito ruim que essas pessoas pensem que você está plenamente satisfeito quando, no íntimo, sua vontade é jogar tudo para o alto e tentar outra forma de vida.

Todos carregamos dentro de nós uma boa dose de loucura, que passamos a vida inteira procurando esconder. Porém, como um vulcão, um dia ela explodirá. Viver sempre "certinho" é como sentar-se sobre um vulcão, que permanece inativo por muito tempo, mas que, de repente, pode entrar em erupção.

Essa é a razão de algumas pessoas dormirem satisfeitas e acordarem angustiadas. Passam o dia inteiro se reprimindo, enquanto seus sonhos trazem à consciência seus desejos e intensificam a luta entre o que são e o que gostariam de ser. É o caso das pessoas reprimidas sexualmente, mas que têm uma enorme vontade de se liberar. É o caso daquelas extremamente responsáveis, mas que no fundo gostariam de passar uma noite inteira acordadas, com os amigos ou namorados.

Negar as próprias aspirações é um desperdício de energia que faz falta para suas realizações. Não se libere apenas no Carnaval ou no estádio de futebol. Permita-se fazer suas loucuras todos os dias, até que ser você mesmo faça parte do seu dia-a-dia.

A sociedade exige que sejamos bonzinhos, mas quem é bonzinho o tempo todo acaba enlouquecendo de verdade.

Quando estagiei pela primeira vez num hospital psiquiátrico, meu professor pediu que entrevistasse um paciente esquizofrênico. Ao conversar com ele, percebi que em sua vida estava tudo certinho. Mas ele tinha alucinações que o atormentavam. Depois de entrevistá-lo, contei ao professor minhas impressões:

— Não entendi nada — disse. — Ele é tão certinho e é louco...

— Esse é o problema. Ele é louco porque quer ser certinho demais.

Quando alguém quer ser muito certinho, deixa de ser humano até o dia em que não agüenta mais e explode.

A infelicidade é uma gaiola imaginária que só o indivíduo percebe. Iniciar a desmontagem dessa ilusão é tarefa de cada um para alcançar a felicidade.

Consciência

"A pior maneira de não chegar a determinado lugar é pensar que já se está lá."

Ditado hindu

De repente, chega o dia em que, no meio da correria, você se pergunta: "Por quê? Será que a vida tem de ser essa correria, essa seqüência interminável de desencontros, essa eterna falta de tempo para tudo? Será que não há outra maneira de viver?"

Aleluia! Finalmente você saiu do automático e entrou no consciente! Agora será possível começar a saborear a vida. Mas certamente o primeiro passo, que é a consciência da sua insatisfação, tem de ser dado. A dúvida é fundamental para a revolução da felicidade. Digamos que você passe todos os dias por seu filho sem prestar atenção a ele. Ou chegue em casa cansado e vá para a frente da televisão sem conversar com ninguém. Um dia vem o estalo e você se pergunta: "Por que isso?" Essa dúvida é o primeiro passo para a transformação.

Muitas pessoas costumam dizer: "Minha vida está ótima, exceto por um detalhe". Aí pode estar um sintoma inconfundível de que o estilo de vida dessas pessoas está errado. Esse pequeno detalhe pode ser um aviso do corpo: "Acorde, está na hora de revolucionar sua vida".

Há vários sinais que indicam a necessidade de mudar de rota: frustração, tristeza, mágoas, dificuldades de relacionamento, descontentamento no trabalho e muitos outros. Mas três deles são fundamentais para despertar nossa consciência: saúde, sono e sexo.

Dificuldades em qualquer um dos três podem ser um sinal de que a vida está precisando de uma reavaliação. É preciso, então, corrigir a rota.

Saúde: quem vive doente pode estar somatizando a infelicidade.

Sono: perturbações do sono são sinais do inconsciente para que você cuide melhor de sua vida.

Sexo: uma vida sexual insatisfatória, sem prazer, indica necessidade de mudanças.

Esses avisos devem ser seriamente considerados para aproveitar melhor, e não desperdiçar, sua energia. Em vez de se desgastar, use essa energia para transformar sua vida. Negar a necessidade de mudanças não elimina o problema.

Vamos, aproveite o momento!
Se não for você, quem será?
Se não for hoje, quando, então?
Mãos à obra!

O que é a infelicidade?

Infelicidade é, antes de tudo, um estilo de vida. Uma forma de olhar o mundo pelo lado contrário. Em vez de você tirar proveito do momento atual, lamenta-se do que poderia ter acontecido.

Na vida, é importante acertar na primeira vez, porque nem sempre dá para passar a limpo tudo o que foi feito de errado. Perceba que a oportunidade está no presente, não no passado. Então aproveite esse momento, pois ele nunca se repetirá.

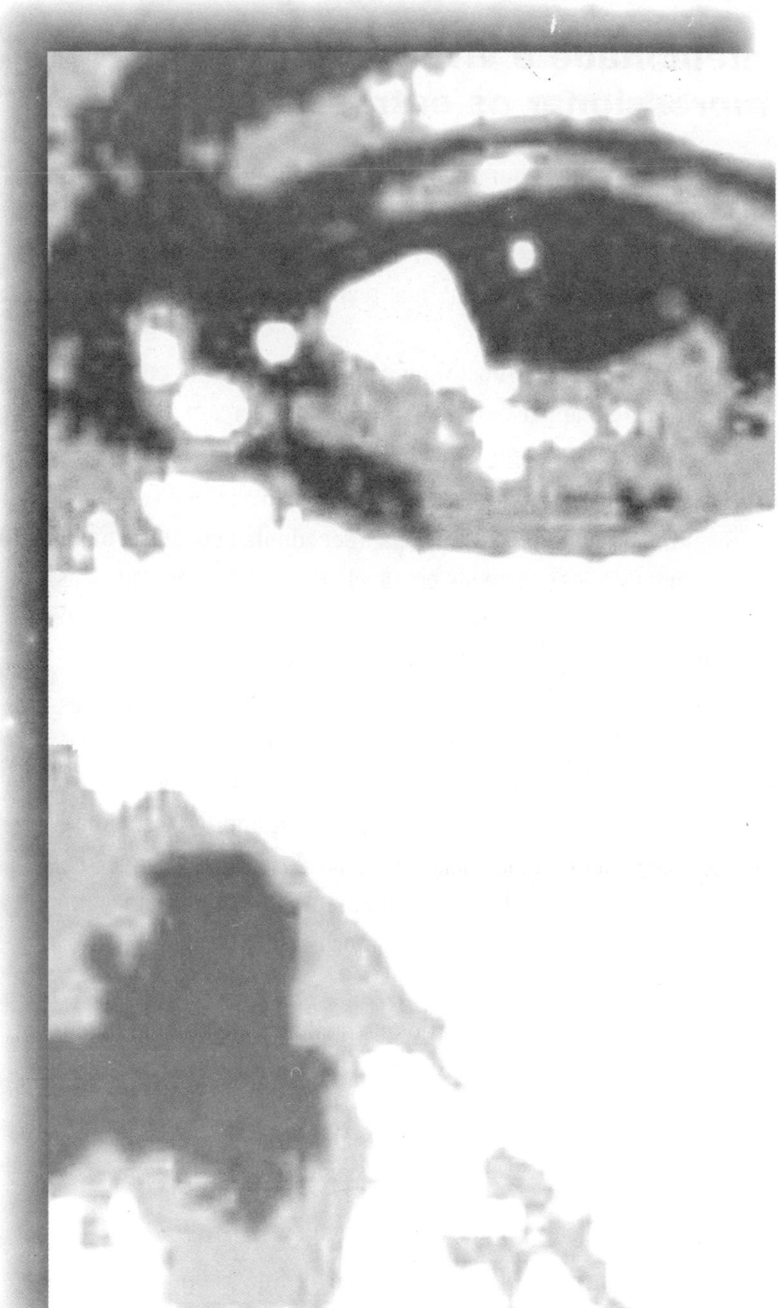

Infelicidade é viver para impressionar os outros

Nós nascemos com um potencial infinito de realização. Porém, à medida que vamos sendo educados, durante a infância e adolescência, perdemos a rota original de nossa própria existência. Deixamos de fazer aquilo que nos realiza e passamos a agir em função dos outros: pais, professores e, depois, toda a sociedade. Nosso objetivo de vida nos é imposto e passamos a condicionar nosso sucesso ao aplauso das pessoas que nos cercam. Para continuar merecendo essa aprovação, progressivamente abandonamos nossas vocações e passamos a realizar os desejos alheios.

A maioria das pessoas vive para ser admirada por uma multidão de olhos vorazes que, muito provavelmente, não se cruzarão mais. Quando elas param para perceber o rumo dado a suas vidas, verificam que apenas colecionaram cupons que não servem para nada.

Quem consegue realizar as metas de sua alma é feliz e desperta admiração devido a sua integridade como pessoa. Ao contrário, quem vive para ser admirado sempre será infeliz, porque está deixando de lado o compromisso consigo mesmo. Não se consegue ser feliz valorizando mais a opinião dos outros do que seus próprios sentimentos. Alguns se sentem infelizes, mas raciocinam: "Se os outros estão aplaudindo é porque estou no caminho certo". E avançam nas suas frustrações.

Você é mais importante do que qualquer julgamento alheio. Para ser feliz, viva para surpreender a si próprio, e não aos outros.

Infelicidade é desperdiçar a vida

Infelicidade é acumular desperdícios.

A maioria das pessoas costuma jogar fora as oportunidades. Não consegue aproveitar o tempo, não valoriza o amor, não desenvolve a capacidade criativa. Fala-se muito em desperdícios materiais, como energia elétrica, água, dinheiro. Mas o pior de todos é o da vida.

É triste ver pessoas que não sabem utilizar seus talentos, pois qualquer tipo de aptidão exige dedicação para desabrochar, assim como o amor requer cuidados constantes para acontecer em toda a sua plenitude.

A maioria das pessoas, no entanto, passa pelas oportunidades sem lhes dar atenção. Muitas se arrependem por não ter se dedicado ao grande amor de suas vidas; outras, por ter jogado fora oportunidades profissionais.

Quando alguém se dedica a alimentar ilusões, perde oportunidades.

Quem se propõe a apenas acumular dinheiro perde a oportunidade de conviver com o filho, com a pessoa amada e consigo próprio. Quem se preocupa muito com segurança ignora as oportunidades profissionais e amorosas.

Muitos reclamam dos impostos municipais, estaduais e federais, que consomem parte dos seus rendimentos. Principalmente quando o governo não aplica bem o dinheiro arrecadado, nós encaramos os impostos como um grande desperdício. Mas o pior imposto que existe na vida é o Imposto Sobre Falta de Visão.

Alguém com falta de visão, que não percebe o que realmente é importante na vida, perde amores, empregos, amigos e, o que é pior, a própria vida.

É comum ouvirmos: "Ah, se eu soubesse... se eu tivesse... se eu pudesse..." Precisamos entender que as oportunidades são poucas e que não podemos desperdiçá-las; por isso, não podemos perder muito tempo com nossas escolhas. Muitas vezes, a questão resume-se em pegar ou largar, e para isso devemos estar preparados. Quanto mais rápida for nossa capacidade de analisar e decidir, mais plenamente viveremos. Nossa vida depende muito de nossas decisões, de nossa capacidade de avaliar o que realmente é importante. A velocidade para descobrir a importância das coisas pelas quais devemos lutar é fundamental.

Há quem sacrifique a vida para conseguir *status* e poder. No desejo de conquistar títulos e riqueza, sufocam-se os sonhos do coração. É uma grande ilusão. Quando se pretende impressionar alguém com um carro sofisticado, na verdade o que impressiona é o carro, o objeto, e não a pessoa. Quando se usa o título de doutor, diretor ou presidente para se impor a alguém, é o título que se impõe, não a pessoa.

Você tem mais valor do que qualquer cargo.

Infelicidade é colecionar quinquilharias

Muitos desperdiçam suas vidas colecionando bobagens. Grandes coleções de cursos inacabados, amores frustrados, projetos engavetados, centenas de livros não lidos, relações sem afeto, sapatos não usados, casas de praia abandonadas. Há até quem sinta mais orgulho em mostrar sua coleção de vinhos do que em saboreá-los...

No propósito de querer agradar aos pais, muitos abrem mão do que lhes é realmente importante. Desistem de realizar a própria vocação. Por isso começam a colecionar conquistas não para si, mas para os pais. É o caso da criança que não quer estudar balé, mas se rende ao fato de a mãe ter desejado, na juventude, ser bailarina. Para agradar a mãe, começa, então, a colecionar troféus até que, um dia, conclui que nada daquilo contribuiu para sua felicidade.

Outros habituam-se a colecionar virtudes para conquistar a simpatia alheia. Em vez de ser eles mesmos, passam a ser como Cristo, como Moisés, como Buda, sem perceber que nenhum recomendou que fôssemos iguais a eles, mas que simplesmente fôssemos inteiramente nós mesmos. Todos os ensinamentos desses mestres ajudam-nos a criar a nossa individualidade. Essas pessoas não questionam o porquê dessas coleções nem se contribuem para sua felicidade. Então, mantêm guardado esse lixo, e justificam: "Bem, quem sabe um dia eu possa usá-lo".

É igualmente o caso dos que fazem regime e emagrecem, mas mesmo assim guardam as roupas do tempo em que eram gordos. "Se eu voltar a engordar...", pensam. Não percebem que aquelas roupas são um incentivo para que voltem a engordar.

É muito importante esse processo de se desfazer do desnecessário.

Há uma pesquisa do *Wall Street Journal* que mostra que o executivo norte-americano gasta um tempo enorme procurando objetos que não sabe onde colocou e coisas essenciais em meio a outras sem importância.

Assim, é fundamental definir o que é importante e separar o lixo, para termos uma vida mais fluida.

Essas quinquilharias ocupam o espaço reservado a novas criações. Por exemplo, quando sofremos uma desilusão amorosa, essa frustração ocupa o espaço de um novo amor. Por isso, os japoneses dizem: "Para você beber vinho em uma taça, precisa antes jogar fora o chá". Limpe sua taça!

Além disso, as quinquilharias consomem a energia necessária para construir coisas novas. Ficar remoendo o passado, lamentando o que poderia ter sido feito e não foi, apenas desvia a atenção do presente, onde realmente as coisas acontecem.

As quinquilharias também criam ilusões. Levam a pensar: "Se eu tivesse me dedicado mais, tido mais suporte, o resultado seria diferente". Pura ilusão. O que já foi, já foi. O importante é fazer a limpeza. Em casa, no escritório e, principalmente, no coração.

Deixe as pessoas do passado no passado.

Perdoe-as. Muitos não avançam na vida porque passam o tempo todo culpando pessoas do passado. Perdoe-as. Elas fizeram o melhor que podiam. Está na hora de você decidir o que é melhor para sua vida e colocá-la no rumo desejado.

Mas não confunda: colecionar quinquilharias que não levam a nada é completamente diferente de colecionar boas recordações, momentos de intimidade, superações de desafios, aproximação de amigos, o que ajuda a encontrar a felicidade.

Infelicidade é um vício

O que muitas pessoas chamam de liberdade é, em geral, uma boa justificativa para o consumo de aditivos. Nossa sociedade está mergulhada em paliativos, que vão da droga mais poderosa ao hábito mais banal.

Sexo, brigas, roupas, comida, álcool, ginástica, calmantes, paixões em seqüência são alguns dos vícios mais comuns que as pessoas adotam para enfrentar a atual insegurança em que vivem. Há pessoas que precisam estar diariamente apaixonadas. Por isso, começam e terminam relacionamentos apenas para experimentar a euforia de uma nova paixão. Os vícios funcionam como válvulas de escape de quem não quer se dar conta do vazio de sua vida.

Nem mesmo a meditação e a terapia, técnicas criadas para auxiliar o homem a encontrar suas verdades, escaparam desse desvio. Para muitos, funcionam como muletas que sustentam vidas construídas em cima de ilusões.

Qualquer pretexto serve para encobrir a angústia de desperdiçar a vida, até o momento em que a depressão ergue um espelho à nossa frente.

Mas o pior é quando as pessoas se viciam no sofrimento e

não conseguem mais desfrutar suas vitórias. Às vezes, tudo está correndo bem à sua volta, mas elas preferem enxergar problemas onde existem possíveis alegrias.

A melhor cura do baixo-astral é abrir os olhos para o mundo.

A felicidade é feita de pequenas pérolas que você cultiva a cada dia, a cada hora. Portanto, desenvolva hábitos que criem mais alegria em sua vida.

Infelicidade é viver longe de você

Se você se orgulha de nunca chegar atrasado a uma reunião, experimente esta brincadeira que Gurdieff ensinava a seus discípulos:

Semanalmente, marque um encontro com você mesmo. Pode ser um jantar ou um passeio na praia. Reserve um tempo para estar consigo e ouvir seu coração. Infelizmente, a maioria falta a esse compromisso. Esquece-se dele ou o adia por tempo indeterminado. Muitas pessoas, aliás, não têm tempo nem para escutar sua própria respiração. O cotidiano as consome, atropelando suas verdadeiras virtudes.

Geralmente, esse encontro com seu eu mais profundo acaba sendo postergado até que não dá mais tempo... nem para dizer adeus.

Muitos pensam que quem cuida de si próprio se transforma em egoísta. Entretanto, quando você se compreende e é bondoso consigo próprio, torna-se a pessoa mais generosa do mundo.

Talvez você queira perguntar: "O que é estar comigo?"

Estar com você significa principalmente cuidar de seus sentimentos, de seus sonhos.

Estar sempre atento ao que se passa dentro de você.

Criar o hábito de observar-se. Não ser como o cachorro que corre atrás do pedaço de pau que o dono joga. Quando você concorda com a correria da vida, com a angústia que ela proporciona, deixa de estar com você.

A forma de evitar que isso aconteça é permanecer centrado no processo interno. Aprender a ser afável, generoso, cuidar das feridas, dos sonhos, ser compreensivo com os erros, com as fraquezas, com os tropeços. Até Cristo pediu para o Pai afastar o cálice.

Outra forma de estar com você é saber estimular-se, criar uma força interior para perseguir seus sonhos, suas realizações. Seja seu melhor guia e amigo.

4
As portas da transformação

Todos nós já gastamos nossa cota de desperdício de vida. É hora, portanto, de viver para valer!

O primeiro passo para essa mudança é saber onde estamos e para onde queremos ir. Enquanto a felicidade é infinita e surpreendente, a infelicidade é óbvia e repetitiva.

No ano passado, assisti a um casamento em que os noivos estavam exultantes, afirmando que a união entre eles seria diferente e para sempre. Ao redor, alguns convidados manifestavam sua descrença: "Ah, quero ver se daqui a alguns anos eles falarão assim..." Só que o problema não está em acreditar que um relacionamento amoroso possa ser diferente, duradouro. Está em agir como a maioria e, depois de algum tempo, acomodar-se.

Gente especial age de modo especial e obtém resultados especiais. Mas a maioria age como a maioria e obtém os resultados da maioria. Repete o mesmo caminho em direção à frustração. Cai nas armadilhas que construiu, inconscientemente, para si mesmo e que levam à destruição.

A tendência é passarmos a vida repetindo padrões de comportamento aprendidos na infância, o que cristaliza uma maneira de pensar, sentir e agir. O indivíduo imagina-se compondo uma nova melodia quando, na verdade, está simplesmente repetindo a única partitura que ouviu na infância.

Liberdade, para muitos, significa agir da forma como foram treinados em um tempo de dependência total. Espontaneidade torna-se simplesmente o sinônimo de viver repetindo o passado, na esperança de que a vida mude por obra do acaso. É como assistir à mesma partida várias vezes, na esperança de que o resultado mude.

A infelicidade surge quando necessidades insatisfeitas na infância influenciam a vida inteira. O passado acaba, então, repetindo-se todos os dias no inconsciente, e as ações são contaminadas por desejos de outras épocas.

Todo indivíduo necessita de três alimentos vitais para sua alma: fé, força interior e amor. Na falta de um deles, as pessoas estruturam na infância alguns modelos para ser infelizes.

A falta de amor na infância costuma gerar adultos hiperresponsáveis, profissionalmente competentes mas solitários, que continuam a viver sem amor.

A falta de fé leva ao medo. São aquelas pessoas que, independentemente de qualquer coisa que lhes aconteça de bom ou ruim, estão sempre assustadas. Por melhor que estejam suas vidas, têm a sensação de que estão prestes a sofrer uma desgraça.

A criança cujo poder de transformação é anulado torna-se um adulto sem força para lutar. Perde oportunidades e coleciona fracassos. Passa a vida sentindo-se vítima do destino.

Muitos pensam que apenas os pobres, ou os ricos, podem ser infelizes. Na verdade, a infelicidade é uma doença que não escolhe classe social.

Na mitologia há três personagens que exemplificam muito bem a maneira como desperdiçamos nossas vidas. Conhecê-los é um caminho para virar o jogo, transformar nossas vidas e direcioná-las no sentido da felicidade.

O primeiro modo de infelicidade é o de **Dâmocles** e refere-se àqueles que passam a vida inteira com medo de que alguma desgraça aconteça como castigo por suas conquistas. Lutam pelo sucesso, conseguem alcançá-lo, mas estão sempre na expectativa de que surja um problema. O medo de perder o marido ou a esposa impede-os de desfrutar o casamento que construíram. Imaginam desgraças com os filhos e enchem a cabeça deles de preocupações. Têm medo de perder o emprego ou que sua empresa vá à falência.

A infelicidade de **Sísifo** caracteriza aqueles que passam a vida se sacrificando, tentando fazer as coisas funcionarem, mas nunca completam seus projetos. Costuma-se dizer que têm muita iniciativa e pouca "acabativa". Estão sempre à espera de um milagre que lhes dê autonomia. Vivem desculpando-se, dando explicações ou acusando alguém por seus fracassos. Esforçam-se muito, mas conseguem poucos resultados positivos.

Finalmente, o modo de infelicidade do rei **Midas,** que transforma em ouro tudo aquilo que toca, mas não consegue se sentir amado. São pessoas que acumulam conquistas, mas nunca estão satisfeitas. Têm sucesso financeiro, mas são um fracasso na vida afetiva. São profissionais bem-sucedidos, mas têm péssima qualidade de vida. Muitas vezes, têm currículos brilhantes, mas não conseguem fazer amigos.

Conhecer esses três tipos psicológicos é uma porta de entrada para compreender, analisar e transformar comportamentos e sentimentos adquiridos durante a infância, quando nossas necessidades não foram devidamente satisfeitas e continuam a influenciar nossas vidas. Carregar carências é viver como um ioiô, sempre voltando ao passado. Libertar-se é cortar o fio, soltar-se, para o ioiô poder se desprender e, talvez, se transformar em um pássaro que voa plenamente.

Vamos analisar mais profundamente cada um desses personagens. Procure reconhecer-se neles. Verifique com qual você — e as pessoas próximas — mais se identifica. Isso o ajudará a se conhecer melhor e também às pessoas que você ama para poder transformar sua vida.

Aprender a identificar seus padrões de desperdício de vida é um passo importante na construção de sua felicidade. Comecemos por Dâmocles.

DÂMOCLES

O MITO

Dâmocles era um súdito da corte do rei Dionísio, que administrava o reino sem contestações. Seu poder era absoluto e sua palavra, a lei. Vangloriava-se de ser todo-poderoso e vivia submerso nas delícias e vantagens do poder. Sempre que podia, Dâmocles expressava seu sonho de um dia poder ter à mão tudo o que desejasse.

Dâmocles insistiu tanto nesse desejo que Dionísio resolveu revelar-lhe as angústias do poder. Convidou-o para ser rei por um dia, com direito a coroa, cetro, banquete e tudo o mais. Mandou, porém, colocar uma espada em cima do trono, presa por um fio de crina de cavalo.

Dâmocles exultou. Finalmente seu sonho seria realizado. Vestiu-se com pompa, assumiu a condição de rei e mergulhou no banquete em sua homenagem. Porém, no meio da festa, levantou os olhos e viu, sobre sua cabeça, a espada ameaçadora, que poderia a qualquer momento decepá-lo. Engoliu em seco, ficou morrendo de medo, mas entendeu nessa hora o que são as angústias do poder.

Os Dâmocles modernos: a infelicidade por falta de fé

Os Dâmocles modernos estão sempre preocupados. Sentemse ameaçados, tendo ou não estabilidade econômica. No trabalho, têm medo de ser demitidos. No casamento, têm medo de ser traídos ou abandonados. Se são empresários, têm medo de ser abandonados pelos clientes. Têm medo de que uma simples gripe se transforme em meningite ou outra doença séria qualquer. Têm medo de que os filhos adolescentes se tornem viciados em drogas. Vivem sobressaltados com a possibilidade de acidentes ou ataques cardíacos. E são capazes de se assustar com o simples soar de uma campainha ou telefone.

Uma das piores coisas que podem acontecer a um Dâmocles é

ser convocado para uma reunião sem saber antecipadamente qual é o assunto. Sua mente começa a trabalhar com um milhão de hipóteses, imaginando alguma catástrofe. No fundo, não acreditam neles próprios e estão sempre desconfiados. Como o Dâmocles original, são pessoas que têm sobre a cabeça uma espada presa por um fio.

Muitas vezes, essas pessoas não demonstram que estão assustadas, mas se irritam com tudo e com todos. Perfeccionistas, querem tudo controlar. Preocupam-se em dar instruções com o objetivo de melhorar o andamento das coisas, mas, quando algo sai errado, logo pensam: "Ah, eu já sabia!" Isso porque, no fundo, acreditam que as falhas fazem parte de tudo.

Tendem a viver exaustos, pois, além do esforço consumido para realizar seus projetos, gastam uma enorme energia para aplacar os diálogos dentro de suas cabeças. O que mais os desgasta são as preocupações. Lutam para chegar ao sucesso e, quando o atingem, surge a imagem desse sucesso acompanhada por uma espada sobre a cabeça. A espada é imaginária, mas cria nos Dâmocles a dúvida que enfraquece seu poder.

Sabe o que é esse medo? É a ausência da fé. Mais cedo ou mais tarde, o medo acaba destruindo as pessoas, pois, enquanto o amor é o coração, a fé é a coluna vertebral. É ela que nos mantém em pé, mesmo quando estamos doentes, em um leito, ou perdidos numa tempestade de problemas. Dâmocles deixou, contudo, que a espada quebrasse sua fé, pois ninguém o proibiu de retirá-la de cima de sua cabeça.

Enquanto você acreditar, o medo não vai se instalar.

"Acreditar em quê?", você pode estar perguntando. E a resposta é acreditar em tudo: na vida, em Deus, no amor, nas pessoas e, principalmente, em si mesmo. O que você já conquistou na vida não foi fruto do acaso. Para isso você se preparou e lutou. Se, por um golpe do destino, você perder tudo, lembre-se: o mais importante, que é sua capacidade de realização, ficou.

Quando as pessoas não têm fé, o medo se instala em suas vidas e a sombra passa a ser sua companheira mais constante. A vida começa, então, a empobrecer, pois a cada esquina, a cada encontro, paira uma ameaça.

A solidão é triste, mas segura. Quando se tem fé, nem a morte assusta. Quando, ao contrário, nossas vidas são um mar de dúvidas, o que mais procuramos é nos cercar de segurança. Colocamos trancas nas portas, construímos muros altos, proibimos nossos filhos de viajar sozinhos, abrimos caderneta de poupança, contratamos guarda-costas, evitamos viajar de avião. E, ainda assim, a angústia continua presente.

A maior conseqüência disso é que, quanto mais procuramos segurança, mais nos afastamos da vida. De fato, viver oferece riscos. De uma hora para outra podemos nos apaixonar, e a pessoa amada ir embora. Criar os filhos, e eles partirem. Construir uma empresa, e ela falir.

Para viver intensamente é necessário conviver com os riscos.

Quando uma pessoa se congela, a vida começa a desaparecer. Por esse motivo a maioria dos casamentos acaba perdendo a beleza que um dia teve. Marido e mulher deixam de ousar e passam a garantir resultados. Quando o mais importante passa a ser a segurança, desaparecem os objetivos e a vida empobrece.

Da mesma forma, quanto mais sucesso, mais insegurança, pois existe sempre a ameaça de perder o que foi conquistado. Afinal, não há seguro de vida que elimine o medo da morte.

Perguntaram a um mestre quem tinha sido a pessoa que mais o ajudou a alcançar a sabedoria, e ele simplesmente respondeu: "Um ladrão".

As pessoas ficaram chocadas com a resposta, e ele então começou a explicar: "Certa vez, cheguei de madrugada a um vilarejo e procurei um lugar para dormir. Tudo estava fechado. Encontrei apenas um ladrão, que me explicou que não iria encontrar nada aberto mas que, se eu quisesse, poderia dormir em sua casa. No início, pensei em recusar o convite. Mas depois refleti que, se um ladrão aceitava a companhia de um monge, por que um monge não poderia aceitar o convite para estar com um ladrão?"

E o mestre continuou: "No caminho até sua casa pergunteilhe se, naquele dia, tinha conseguido roubar alguma coisa; ele me respondeu que não, mas que iria rezar bastante para Deus ajudá-lo a roubar alguma coisa no dia seguinte. Era uma pessoa muito especial, e eu aceitei seu convite para permanecer mais alguns dias em sua casa. À noite, quando saía, eu lhe perguntava se precisava de algo, e ele sempre me pedia para rezar para que Deus o ajudasse a roubar alguma coisa".

O mestre, então, completou a história: "A fé do ladrão me comoveu. Muitas vezes, ao fazer coisas tão puras, como orar e meditar, e depois quase desistir por não alcançar os resultados desejados, lembrava-me da fé do ladrão e isso me dava forças para prosseguir. Ele nunca deixava de acreditar".

Por isso acredite sempre, por pior que seja a situação. Não deixe a dúvida tomar conta de você.

O medo será seu companheiro até você aprender a olhar para ele com objetividade e descobrir que não passa de criação de suas fantasias. Assim, a espada de Dâmocles existe apenas na imaginação dele — e é também o que os orientais chamam de tigre de papel: quando se olha na escuridão parece um monstro, mas, à luz do dia, percebe-se que é feito de papel, sem nenhum poder de destruição.

Uma história

João é um empresário que veio de uma família abastada. Seu pai era fazendeiro, proprietário de terras e muitos bens, mas, infelizmente, acabou perdendo tudo com bebida, mulheres e jogo. Ainda muito jovem, João teve de deixar sua residência luxuosa, com muitos empregados, para viver numa casa humilde. A mesa farta foi substituída por arroz e feijão. Seus irmãos tiveram de arranjar subempregos, a mãe — antes cheia de regalias — foi trabalhar como empregada doméstica. O pai nunca mais se recuperou do desastre financeiro.

Todos os dias, João percebia o medo nos olhos dos pais. Para piorar ainda mais a situação, a bebida foi tornando o pai violento, e ele o espancava por qualquer coisa.

João atravessou inúmeras dificuldades, mas conseguiu um casamento sólido, uma empresa bem posicionada no mercado e uma boa situação financeira. No entanto, ele vivia o tempo todo assustado, como se um desastre pudesse abalar tudo isso.

Sempre preocupado — e talvez por isso mesmo —, João não pôde evitar que pouco a pouco os negócios começassem a afundar. Tinha tanto medo de que sua vida não desse certo, que a desgraça da infância se repetisse, que ele próprio se encarregou de acabar com tudo. Dessa forma, não precisaria mais se preocupar com a perda, pois já não teria mais o que perder.

Assim são os Dâmocles modernos: vivem tão ansiosos, com medo de perder o que conquistaram, que acabam chegando a um resultado inverso do que desejam. Eles próprios arranjam um jeito de se desfazer de suas conquistas para se livrar do medo de perdê-las. Os Dâmocles se sentem aliviados quando o casamento termina, pois assim se libertam da tensão de que um dia ele acabará. Nunca estão em paz, independentemente de sua situação pessoal ou profissional.

Os medos dos Dâmocles levam-nos a procurar incessantemente a estabilidade. Por isso vivem sempre tensos, bloqueados. Sofrem com as mudanças, sejam quais forem.

Muitas vezes, constroem uma camada de rigidez para esconder o medo. Na superfície, parece que tudo está funcionando bem, mas por dentro as sombras provocam tremores.

As pessoas próximas dos Dâmocles — esposa, marido, filhos, chefes, colegas — não entendem por que, mesmo quando as coisas vão bem ou quando o momento é de relaxamento, durante as férias, por exemplo, eles permanecem preocupados, receando fatalidades e destruições.

Procuram a estabilidade para se sentir seguros, e tudo em volta deles tem de estar certinho — o casamento, a família, o trabalho. Não entendem que as mudanças fazem parte da vida, e por isso deixam de experimentar suas riquezas.

A infância

A infância dos Dâmocles é marcada por crises, como a morte de uma pessoa querida, algum acidente grave, ameaças dos pais, relacionamento agressivo em casa e absoluta falta de diálogo.

Por se sentir sempre ameaçados, desenvolvem uma forte intuição para se proteger. Descobrem, desde cedo, quando é o momento de ficar calados para não criar problemas ou de interromper brincadeiras para não incomodar. Essa intuição, infelizmente, é usada para evitar problemas, e não para criar soluções. À medida que crescem, desenvolvem o mecanismo de enxergar ameaças em tudo e passam a evitar qualquer situação que possa criar embaraços.

Foram crianças castigadas sem explicações, o que as tornou extremamente confusas. Certo dia, por exemplo, brincando com uma bola, provocaram risos e foram elogiadas. No dia seguinte, ao repetir a brincadeira, apanharam. Ninguém explicou a elas a diferença entre, na primeira vez, brincar com a bola no quintal e, na segunda, na sala de estar, entre os vasos chineses da mãe.

Quando a criança não compreende a lógica dos castigos, passa a sentir medo de ser punida e começa a acreditar que a vida é mesmo ingrata.

Já adultos, diante de qualquer incidente no trabalho, reagem concluindo que serão demitidos. Da mesma forma, qualquer desentendimento do casal torna-se ameaça de separação.

Pessoas assim não percebem que existe uma lógica para as coisas acontecerem. Por ter sempre vivido sob tensões, até a visão do divino fica prejudicada, e elas começam a ver Deus como um ser muito punitivo, que castiga tanto quanto a mãe ou o pai faziam.

Em geral, um dos pais dessas pessoas era também do tipo Dâmocles: vivia assustado e transmitia essas preocupações aos filhos. O tempo todo escutavam frases como estas: "Cuidado, seus colegas podem pegar sua borracha", "Se não for o primeiro da classe não conseguirá arrumar um bom emprego", "Não brinque na chuva para não se resfriar", e assim por diante.

Nesse caso, o pai ou a mãe apenas sossega no dia em que percebe que o filho também está preocupado com o futuro. Então, quando a ansiedade do filho se torna o calmante do pai, o prazer de viver transforma-se em sombras.

Sofrimento básico: preocupação

O sofrimento básico dos Dâmocles é a preocupação. Eles vivem tensos. Qualquer incidente, positivo ou negativo, causa ansiedade. Se não são promovidos na empresa, pensam logo em demissão. Quando são promovidos, preocupam-se da mesma forma porque acham que não darão conta da nova função.

A tendência dos Dâmocles é fazer tudo na vida cercados por grandes margens de segurança. São, em geral, ciumentos e não permitem que os filhos viajem sozinhos. Quando aparece uma boa oferta para mudar de emprego, rejeitam-na por preferir ficar onde estão sem correr riscos.

O medo reside no sofrimento do passado e cria a dor do futuro.

Os Dâmocles sentem a dor do passado como se a cena estivesse acontecendo de novo. Esse desespero alimenta o receio de que outra desgraça possa acontecer no futuro, e eles voltem a sofrer como daquela vez.

Quando não há confiança em si próprio, nos amigos, em Deus, as ações nascem das preocupações. Nesse caso, podemos até pensar, por exemplo, que estamos cuidando bem de nossos filhos. Na prática, porém, estamos é nos protegendo para evitar que no futuro sobrevenham preocupações. Em vez de extirpar esse medo de dentro de nós, preferimos aplacá-lo com as preocupações. Nossos problemas têm de ser trabalhados dentro de nós para evitar um colapso familiar.

Os Dâmocles são os maiores especialistas em soluções paliativas. Em vez de procurar a fonte de seus medos, buscam sempre uma forma de aliviar suas tensões. Como estão sempre tensos, ao final de cada dia procuram uma técnica de relaxamento. Ou então trabalham como loucos o ano inteiro, esperando descansar nos trinta dias de férias.

Mas raramente conseguem relaxar com essas técnicas especiais nem descansar como se deve durante as férias. Não percebem que o relaxamento não é uma técnica, mas um estilo de vida em que o fundamental é a observação do que acontece dentro de si mesmo. Daí a dificuldade que os orientais têm para entender por que os ocidentais procuram métodos de meditação e relaxamento. Para eles, meditar é observar-se o tempo todo. Na verdade, meditação não é uma técnica para aliviar as tensões do dia-a-dia, mas uma maneira consciente de viver.

No fundo, os Dâmocles acreditam que a preocupação os protege. Seu raciocínio funciona assim: "Se eu tiver medo de que o avião caia, o avião não cairá. Se eu tiver medo de que meu filho se vicie em drogas, ele não se viciará. Se eu tiver medo de que meu casamento acabe, ele não acabará", e assim por diante.

Portanto, quando você for viajar e sua mãe Dâmocles manifestar preocupação, pergunte a ela se é possível fazer qualquer outra coisa para protegê-lo. A preocupação dela não evitará coisa alguma durante a viagem.

Em geral, o medo de apanhar do pai causa mais sofrimento do que a própria dor da pancada. Viver preocupado é como tornar real a ansiedade provocada por um filme de terror, sem perceber que a realidade do lado de fora do cinema é outra.

Estive com meus filhos e sobrinhos, há algum tempo, nos estúdios da Universal, em Orlando, nos Estados Unidos, onde há um brinquedo muito interessante chamado *Back to the future* [De volta para o futuro]. As pessoas entram em um carro e viajam através do tempo, em situações extremamente excitantes. Quando estávamos no brinquedo, as crianças menores começaram a ficar assustadas. Então, um dos mais velhos da turma, Ricardo, disse: "Se vocês ficarem com medo, olhem para o lado e verão vários carrinhos com gente dentro, aí vão perceber que nada do que se passa à nossa frente está acontecendo de verdade".

Quando os Dâmocles olham para o lado e se libertam de sua imaginação, percebem que estão apavorados com tigres de papel.

Amor

O amor é uma energia dirigida à vida. Quando alguém está apaixonado, sua aura ilumina-se, sua criatividade atinge o auge e, principalmente, a sensação de estar vivo toma conta de seu coração.

Os Dâmocles confundem medo de perder a pessoa amada com amor propriamente dito. O medo nasce da insegurança, da pobreza de espírito, enquanto o amor nasce da generosidade da alma, da nobreza de caráter. Uma declaração de amor pode ser considerada expressão de afeto, mas, muitas vezes, esconde uma hábil manipulação para manter o controle. É uma atitude egoísta que pode resultar em dependência e, nos casos mais graves, anulação da personalidade do outro, filho, pai, mãe ou companheiro.

O medo de ser abandonado, de ser traído e da solidão cria um indivíduo possessivo, cujo desejo é moldar os outros à sua semelhança.

O amor, ao contrário, desperta o desejo de crescer juntos, fornece coragem para superar os bloqueios internos e, principalmente, para mergulhar na vida.

A necessidade de segurança é a bíblia dos devotos de Dâmocles. Precisam saber que a pessoa amada está sempre perto, feliz ou não. Nas relações sexuais usam, ao mesmo tempo, diversos tipos de contraceptivos — pílula, preservativo, tabelinha — e ainda assim se preocupam com uma possível gravidez.

Como vivem sempre assustados, tendem a unir-se a alguém que lhes dê segurança. Mas nem isso elimina sua desconfiança e seu ciúme. No entanto, são capazes de grandes gestos românticos, mais por medo de perder a pessoa amada do que pela vontade de seduzir.

Somente quando os Dâmocles olham para a espada em cima

de suas cabeças é que se dão conta do quanto são capazes de amar. A partir daí passam a se orientar pelo amor, e não mais pela segurança. É quando acontece em suas vidas o maior de todos os milagres: descobrem que a verdadeira segurança está baseada em sua capacidade de amar, e não de se proteger.

Trabalho

O trabalho é uma forma sublime de realização, mas, infelizmente, muitas pessoas o consideram um martírio, uma atividade desgastante que deve ser encarada com resignação. Mas, por outro lado, muita gente encontra verdadeira satisfação no ato de trabalhar, enxergando nele uma oportunidade gratificante de aplicar seus conhecimentos e habilidades e poder, assim, tornar sua vida mais útil e produtiva. O trabalho é o caminho da concretização dos sonhos de qualquer pessoa. Quando você coloca fé em seu trabalho, torna-se capaz de revolucionar o planeta.

É a fé que nos mantém acordados. Só ela faz médicos e enfermeiras passarem dias e noites cuidando de um paciente terminal. Só ela dá força a um soldado durante uma operação de resgate, à procura de sobreviventes em meio aos escombros de uma catástrofe. Só ela estimula um advogado a procurar provas para salvar um inocente.

Quando o trabalho é dominado pelo medo, e os executivos se preocupam mais com eles próprios, os resultados tornam-se medíocres. O objetivo passa a ser a manutenção dos respectivos cargos, transformando em sombras o desafio do trabalho.

Mas, à medida que evitam os riscos, os Dâmocles modernos tendem a ficar "em cima do muro". Diante da menor ameaça, correm para tomar providências, visando proteger suas posições.

Por outro lado, são muito cuidadosos nos negócios. Tão cuidadosos que acabam paralisados. Evitam tomar decisões importantes, não ousam, não apostam no futuro. Por isso acabam falindo, pois não se modernizam, não acompanham a evolução do mercado. Os Dâmocles são campeões de análise de contextos, de avaliação de negócios. Rapidamente percebem o que não funciona, o que tem de ser mudado. Mas falta a eles coragem para agir e fazer as transformações necessárias. São pessoas que se anulam porque vivem amedrontadas com a possibilidade de empobrecer.

Em seu inconsciente, escutam uma voz que diz: "Não vai dar certo". São resquícios de seu passado, da época em que foram educados por pessoas inseguras que os protegiam de sonhos para evitar frustrações futuras. Essas vozes permanecem tão vivas em suas mentes que dividem a atenção e minam a energia criadora.

Nosso maior adversário está dentro de nós.

Por isso, é importante olhar para a espada e constatar que ela só existe em nossa imaginação.

Filhos

Criar filhos é uma tarefa que deve ser feita com Deus a nosso lado. Quem tem a consciência do divino sabe que os filhos necessitam de cuidados por certo tempo para aprender lições preciosas sobre a vida. Quanto mais você perceber a voz divina através de seus filhos, mais amplo será o aprendizado

Os problemas começam quando você educa seus filhos para que eles cuidem de você. A insegurança começa, então, a destruir o amor.

Amor não é posse, ao contrário, é libertação. Quando alguém ama permite com seu amor que a outra pessoa adquira mais autonomia.

Quando se cria um filho para o mundo, a felicidade dele está sendo facilitada. Mas, quando se cria um filho para mantê-lo sempre a nosso lado, o trabalho será imenso e o resultado, repleto de conflitos. Esse filho vai relutar, resistir, e só com muita culpa poderá realizar os sonhos de seus pais.

Pior ainda são aqueles pais que querem que seus filhos sejam eternamente seus dependentes. Procuram se sentir importantes através dos filhos. Com isso, o peso da culpa será imenso, pois, para provocar essa dependência, os pais precisarão destruir a força da pessoa que dizem mais amar na vida.

O universo funciona no sentido da evolução. As aves, os mamíferos, os peixes, todos os animais criam seus filhotes para a vida. Quando criamos algo para a evolução, contamos com as bênçãos do universo. Quando agimos em sentido contrário, desperdiçamos uma energia imensa e só contribuímos para a criação de conflitos.

A segurança de fazer um bom trabalho com os filhos é complementada pela proteção divina. Faça um bom trabalho e confie! Pode demorar algum tempo para os resultados aparecerem, mas eles serão compensadores.

Contar com a ajuda divina é como uma aula de pintura: o mestre chega perto, dá uma olhada rápida na tela que acabamos de pintar e tira o pincel de nossas mãos. Em poucos segundos, com algumas pinceladas, ele dá o toque que faltava para a tela parecer obra de profissional. O mesmo acontece quando criamos nossos filhos: fazemos o melhor que podemos, e Deus dá as pinceladas finais. Só Ele faz a obra transformar-se numa realização maravilhosa.

Amigos

Amizade é uma relação com uma característica especial: reconhecer a humanidade da outra pessoa e continuar admirando-a, apesar dos defeitos que possa ter. Na maioria dos relacionamentos amorosos, exige-se do companheiro a perfeição. Na amizade, conhecemos as falhas do outro, mas julgamos suas virtudes mais do que suficientes para prosseguir com o afeto.

Por isso os amigos comemoram as conquistas um do outro: é o êxito da generosidade sobre a imperfeição.

Quando os Dâmocles procuram amigos, na verdade estão interessados em segurança. Por isso dão preferência a pessoas que não os ameacem. Buscam aproximar-se de pessoas que os considerem perfeitos, o que impede a essência da verdadeira amizade.

Os amigos dos Dâmocles são súditos, pessoas que apenas mostram o lado bom de tudo, que os seguem como discípulos, mas são incapazes de abrir os olhos deles ou apontar novos caminhos. Os Dâmocles tendem, portanto, a ter amigos iguais a eles, preocupados, amedrontados. É comum, aliás, a amizade entre hipocondríacos, com intermináveis conversas sobre doenças e remédios.

Quando, ao contrário, descobrimos a beleza de nossas imperfeições, podemos parar de nos esconder e encontrar verdadeiros amigos, cúmplices de nosso caminho rumo a vitórias e conquistas.

A saída

A transformação ocorre quando a busca de segurança abre espaço para a confiança. Os Dâmocles, que passaram a vida fugindo do perigo, começam a perceber que a maioria daquelas ameaças é fruto de sua imaginação. Nesse processo de mudança é muito importante contar com a ajuda de um orientador, de alguém em quem se confie, um amigo, cônjuge, sacerdote ou terapeuta.

Uma das armadilhas mais comuns da infelicidade é o adiamento.

A maioria não percebe o desgaste de deixar uma situação sem solução. Quantas vezes você já não deixou de fazer algo por estar cansado e protelou para o dia seguinte? Certamente teria sido muito mais produtivo gastar alguns minutos mais e resolver aquela situação do que deixar sua mente ocupada com ela. Um dos segredos da vida é manter a mente fluida, sem preocupações.

Isso me faz lembrar a história de um homem que morava em Londres. A guerra tinha terminado, e ele viajava sentado em um ônibus, com um enorme pacote no colo. A certa altura, o cobrador, curioso, lhe perguntou: "O que você leva aí no colo?" O homem respondeu: "Uma bomba que ainda não explodiu. Estou levando-a para o Exército". O cobrador, então, aconselhou: "É perigoso carregá-la no colo. Coloque-a embaixo do banco, por favor".

Com a maioria das pessoas acontece a mesma coisa: vivem tirando a bomba do colo e colocando-a embaixo do banco, imaginando que dessa forma estarão resolvendo o problema. Quando os Dâmocles param de adiar as coisas e passam a enfrentar seus medos, a felicidade começa a fluir.

Rumo à outra margem do rio

Há quatro pontes que devem ser atravessadas pelos Dâmocles para que eles se livrem da espada que paira sobre suas cabeças e possam viver de forma mais leve e criativa.

> *A primeira ponte é a da* ***observação.***
> *Antes de reagir, observe.*

O que está acontecendo?

Existe mesmo ameaça?

Tome suas decisões com consciência e não aja precipitadamente. As pessoas com medo fogem ou atacam, e os surtos de irritação quase sempre são decorrentes da insegurança. Além disso, as pessoas com medo costumam machucar quem está por perto. A consciência é a melhor forma de sair do círculo vicioso medo-ataque-medo.

Primeiro, observe sua respiração. Verifique se ela está presa — a palavra angústia vem de contração. Não procure relaxá-la, pois isso aumentará a tensão, nem se critique por estar assim. Simplesmente observe-a. Fique em contato consigo mesmo por alguns minutos.

Agora comece a observar seus pensamentos. O que está acontecendo em sua mente? Nossas ações nascem de nossos pensamentos: se eles forem negativos, produzirão ações que depois provocarão arrependimento.

Geralmente, captamos as emoções dos outros. Se você assistir a uma briga de casal, depois de algum tempo também ficará irritado. Por isso, é importante saber que muitas vezes assumimos pensamentos que não têm nada a ver conosco.

Seus negócios vão bem, mas de repente você começa a se assustar com a crise. Seu casamento está ótimo, mas de tanto ouvir falar em separação você começa a se preocupar com seu marido ou sua esposa. Fique atento, portanto, a seus pensamentos, pois eles determinarão seus resultados.

Uma peste incontrolável estava se espalhando pela Europa, matando milhares de pessoas em vários países. Até que chegou a um reino muito especial, cujo soberano, um homem muito corajoso e generoso, fez questão de ir pessoalmente até a fronteira conversar com a peste e pedir que não atacasse ninguém de seu reino.

Depois de intensa negociação, a peste cedeu:

— Está bem, vou levar apenas cem pessoas do seu reino. Imaginava levar pelo menos cinco mil, mas como você é um grande soberano e seu reino é formado de pessoas muito bondosas vou levar apenas cem.

Mesmo a contragosto, o soberano aceitou. E a peste começou a trabalhar. Morreram dez, cinqüenta, cem. Em seguida, mil pessoas, duas mil, até se completarem as cinco mil mortes. O soberano já estava desesperado quando anunciaram que a peste queria vê-lo.

— Vim me despedir de vossa majestade — disse a peste.

Esbravejando, o soberano pediu, então, explicações:

— Peste, você mentiu para mim! Disse que ia levar somente cem pessoas de meu reino e matou cinco mil!

Ao que a peste, serenamente, respondeu:

— Não, eu matei apenas cem pessoas, como havia prometido. As outras quatro mil e novecentas morreram de medo.

Seus pensamentos se realizarão. Portanto, esteja atento a eles. Se em seus pensamentos há desgraças, as desgraças acontecerão. Se neles há felicidade, é a felicidade que brotará.

Observe suas ações. A maioria das pessoas age sem consciência, como se fosse sonâmbula. Somente adquire consciência de seus atos depois que não restou outra saída senão o arrependimento. Arrepender-se e desculpar-se são atos de generosidade, mas o melhor mesmo é evitar que sua impulsividade provoque estragos.

A segunda ponte a ser atravessada pelos Dâmocles é a da ***entrega.***

É quando os Dâmocles aceitam que a vida os domine, passam a confiar na existência e ingressam na grande aventura do desconhecido.

Libertar-se do medo é como saltar de um trampolim. Ao entregar-se, salta-se em direção à vida. Esse é o salto da fé. Viver a ilusão da espada sobre a cabeça é como estar à beira do trampolim. Mas falta coragem para saltar. Adquirir essa coragem significa encarar a vida com todos os seus riscos, desfazer a assustadora visão de perigo por todos os lados.

A fé é a mais intensa ligação entre o plano espiritual e o material. Através dela descobre-se a existência de uma força maior, capaz de levar as pessoas à realização, à criação e à superação de si mesmas. Somente através da fé as pessoas desabrocham, os relacionamentos tornam-se mais fortes, há mais intensidade nos sentimentos.

A fé é diferente da esperança. Esta traz a expectativa de que em breve acontecerá algo. Da fé não se deve esperar nada, apenas acreditar nela e na força que ela nos proporciona para podermos avançar sempre.

Entregar-se à vida com fé é integrar-se a Deus, abandonar o medo, doar-se aos outros sem esperar receber nada em troca. A harmonia interior acontece quando abandonamos o "eu" e nos entregamos ao salto para a vida. Entregue-se ao divino — assim, você estará integrando-se a Ele.

Quando ocorre a integração com o divino, você relaxa as tensões, descontrai-se e aproveita melhor os momentos da vida.

Coloque-se inteiro no que você faz, seja uma relação amorosa, seja um relatório de trabalho. Tranqüilize-se e curta intensamente cada momento. Conscientize-se de que as coisas acontecem no presente e seu objetivo é viver bem agora.

Viver, sem dúvida, é a melhor de todas as metas, é abandonar os medos. Muitos agem como fugitivos, escondendo-se o tempo todo, envergonhados de seus desejos. Quem, por exemplo, jurava que nunca iria se apaixonar, quando se apaixona fica constrangido. Isso é bom? Claro que não.

Era uma vez um riacho de águas cristalinas, muito bonito, que serpenteava entre as montanhas. Em certo ponto de seu percurso, notou que à sua frente havia um pântano imundo, por onde deveria passar. Olhou, então, para Deus e protestou: "Senhor, que castigo! Eu sou um riacho tão límpido, tão formoso, e você me obriga a atravessar um pântano sujo como esse! Como faço agora?"

Deus respondeu: "Isso depende da sua maneira de encarar o pântano. Se ficar com medo, você vai diminuir o ritmo de seu curso, dará voltas e, inevitavelmente, acabará misturando suas águas com as do pântano, o que o tornará igual a ele. Mas, se você o enfrentar com velocidade, com força, com decisão, suas águas se espalharão sobre ele, a umidade as transformará em gotas que formarão nuvens, e o vento levará essas nuvens em direção ao oceano. Aí você se transformará em mar".

Assim é a vida. As pessoas engatinham nas mudanças. Quando ficam assustadas, paralisadas, pesadas, tornam-se tensas e perdem a fluidez e a força.

É preciso entrar para valer nos projetos da vida, até que o rio se transforme em mar.

Muitas pessoas sofrem por antecipação. E, por causa desse medo, fazem um seguro anti-sofrimento que as mantém permanentemente afastadas de fatos novos. Não sofrem, mas também não vivem.

Uma senhora que trabalhava em minha casa tinha um filho da mesma idade dos meus a quem eu sempre convidava para sair. No entanto, ela nunca consentia. Um dia, perguntei a ela:

— Por que você não deixa seu filho sair com os meus?

E ela respondeu:

— Ele tem de entender que é pobre. Se sair com vocês, se acostumará a viver melhor e depois sofrerá quando voltar para nossa casa.

Se uma pessoa passar a vida toda evitando sofrimento, também acabará evitando o prazer que a vida oferece. Há milhares de tesouros guardados em lugares onde precisamos ir para descobri-los. Há tesouros guardados numa praia deserta, numa noite estrelada, numa viagem inesperada, num salto de asa-delta... O importante é ir ao encontro deles, ainda que isso exija uma boa dose de coragem e desprendimento.

Não procure o sofrimento. Mas, se ele fizer parte da conquista, enfrente-o e supere-o. Arrisque, ouse, avance na vida. Ela é uma aventura gratificante para quem tem coragem de arriscar.

A terceira ponte é a do ***alto-astral****, que se refere à nossa capacidade de brincar e transcender cada acontecimento.*

Outro dia, li numa placa: "Não leve a vida a sério. Você não vai sair vivo dela". A seriedade limita a criatividade. É como um pântano que o alto-astral consegue transformar em jardim. A sociedade pressiona as pessoas para que sejam sérias, contraídas. Parece até que essa conduta tem o poder de garantir que as coisas sejam bem-feitas, os relacionamentos honestos e que educação e ética sejam qualidades pessoais irreversíveis.

Muitas vezes, a pretexto de ser realista, o indivíduo acaba transformando-se em um pessimista. "Preciso examinar todos os problemas, analisar todas as dificuldades porque, do contrário, as coisas não funcionam", diz.

É importante ter alto-astral. O psicólogo Martin Seligman, autor do livro *Learned Optimism* [Otimismo Aprendido], traçou um quadro muito interessante da diferença entre o otimista e o pessimista.

O pessimista acredita que os eventos negativos têm origem em condições definitivas. Por exemplo: "Perdi o horário do vôo porque sempre dou azar com avião". Para ele, os eventos positivos provêm de circunstâncias temporariamente positivas: "Meu chefe me elogiou porque queria que eu fizesse hora extra".

O otimista, ao contrário, atribui uma falha a um motivo circunstancial: "Perdi a partida porque estava exausto". E, para ele, as situações favoráveis são causadas por fatos permanentes: "Meu marido trouxe flores para mim porque me ama".

O pessimista permite que uma decepção em determinada área de sua vida invada o restante dela. Quando é demitido do emprego, sente-se mal não só por ter perdido o emprego mas por temer que outras pessoas da família também sejam demitidas, que falte dinheiro para o aluguel, para a comida e assim por diante.

Já o otimista não permite que determinado problema em certa área de sua vida contamine as demais. Então, se é demitido do emprego, procura ver o restante com bons olhos, vai à luta para conseguir outro emprego, mantém o alto-astral.

Quando as coisas dão errado para um pessimista, ele logo se culpa, ainda que o erro não tenha sido seu. O otimista, ao contrário, reage com tranqüilidade e pensa: "Bem, todo mundo tem seu dia de azar". Em seguida, procura uma solução para livrar-se logo do problema. Diante de uma dificuldade, o pessimista acha que ela nunca será superada e que aparecerão muitas outras, enquanto o otimista tem a capacidade de analisar qualquer tipo de questão, organizá-la e solucioná-la rapidamente.

O fato de você se criticar não o ajudará a superar os obstáculos mais facilmente. Muitos conseguem vencer na vida mesmo sendo pessimistas. Mas por que pagar tão caro por suas vitórias? Por que se desgastar tanto para ter êxito?

Comece a cultivar o alto-astral dentro de você, a brincar com os reveses da vida, a enfrentar com bom humor até as situações mais complicadas.

As decisões tomadas sem considerar apenas o lado negativo das coisas são as mais corretas.

Abandone sua seriedade, viva solto, aja com leveza. Divirta-se consigo mesmo, com suas dificuldades, com seus deslizes. Você perceberá que a vida fica mais fácil. Brinque com a espada de Dâmocles. Sinta-se um cavaleiro, um Zorro, um espadachim e desafie a sensação desagradável de ter uma espada sobre a cabeça. Quando você se sentir pressionado, brinque e perceba que a solução aparecerá mais facilmente.

O alto-astral é uma forma de ver a vida. Portanto, é diferente do prazer. Quando falamos de prazer, inevitavelmente pensamos em sexo, comida, lazer. O alto-astral é bem mais do que isso. É um gesto de generosidade com a vida, com os erros, com as dificuldades. A seriedade leva ao julgamento; o alto-astral, à compreensão. Uma boa maneira de saber como anda seu astral é observar se está julgando os outros.

Quando alguém está feliz não perde tempo nem energia com isso.

O alto-astral tem origem na bondade, que, por sua vez, começa no amor. O amor cria a verdadeira alegria de viver. Ame todas as pessoas e brinque com elas, especialmente com você mesmo.

> *A quarta ponte é a do* ***fluir****, que diz respeito à sua capacidade de ser espontâneo e levar a vida com facilidade.*

Muita gente adota verdades rígidas, semelhantes a rochas. Quer ser dona da vida alheia e acaba provocando tensão a seu redor. Mesmo alguns religiosos têm criado desgraças com sua rigidez. Daí existirem seitas que levam seus seguidores à morte. Elas pregam verdades que desprezam a vida. Quantas pessoas têm morrido, quantas guerras acontecido em nome de deuses tidos como donos dessas verdades imutáveis?

Não existe uma única verdade, mas muitos caminhos, diversos pontos de vista para a mesma questão.

Fluir é atravessar os espaços vazios para realizar o encontro. Quanto mais tranqüilidade e espontaneidade alguém aplicar à vida, menos machucado sairá. Quando as pessoas são duras, rígidas, machucam-se com facilidade, atropelam-se, ferem-se, e os relacionamentos não fluem com facilidade.

A vida nos supre de dificuldades suficientes para ainda procurarmos criar mais problemas. Por isso, procure distinguir a realidade da imaginação. A mente humana é pródiga em aumentar problemas, criar fantasmas e percalços onde eles não existem.

Uma amiga me contou que, depois de esperar quase uma hora pelo namorado, que estava atrasado para um encontro, ficou extremamente nervosa e explodiu. Muito sábio, em vez de revidar, ele argumentou:

— Desculpe pelo atraso. Não pude interromper uma reunião e, tão logo foi possível, vim direto para cá. Mas parece que você está muito aborrecida por um simples atraso. Que histórias você andou criando na sua imaginação?

— Eu imaginei que você estivesse com outra mulher — disse minha amiga.

— Bem, pelo meu atraso eu me responsabilizo. Mas não dá para fazer o mesmo com suas fantasias — retrucou o namorado. — Se quiser, ligue para o banco e pergunte à minha secretária em que horário eu saí.

As pessoas costumam sofrer mais do que a situação exige.

Aproveitam um problema para criar muitos outros. Cuidado com essas sombras! Separe o real do imaginário. Tome as providências necessárias para resolver o real e aprenda a simplificar o que é fruto da imaginação.

Quando estiver vivendo uma dificuldade, pergunte-se qual é, de fato, o problema. Procure delimitar a situação para não sofrer além do necessário.

Quando os Dâmocles fluem, começam a se surpreender com a vida. Podem perceber, por exemplo, que a pessoa amada não os está rejeitando, que o distanciamento é apenas aparente; notam, então, que é timidez, dificuldade de expor sentimentos. Cabe aos Dâmocles brincar com o mal-entendido, desfazê-lo e fluir ao encontro do outro.

No sexo, o outro é a porta para a vida. Flua através dele. Duas pessoas rígidas não se encontram: esbarram-se, agridem-se. Precisamos aprender a ter a força da água, que não é dura como uma pedra mas sempre chega aonde quer através dos caminhos alternativos que encontra.

Flua entre os problemas. Eles são apenas acontecimentos que ainda não compreendemos. Quando fluímos entre as dificuldades, somos como a água que envolve uma pedra: podemos ver todos os lados da situação, conhecê-la melhor e superá-la com mais facilidade.

Flua mesmo quando a morte chegar. Ela é apenas a parteira que o ajudará a renascer.

SÍSIFO

O MITO

Um dos personagens mais interessantes da mitologia grega é Sísifo, o rei de Corinto. Era tido como o mais esperto entre os homens. Apesar de toda a sua astúcia, ou talvez justamente por causa dela, sempre se via diante das situações mais complicadas. Cada esperteza criava novas dificuldades, que por sua vez pediam novos estratagemas, numa eterna sucessão de saídas provisórias.

Certa vez, Sísifo descobriu por acaso que Zeus havia raptado Egina, filha de Ásopo, o deus dos rios. Como faltava água em suas terras, Sísifo teve a idéia de revelar a Ásopo o paradeiro de sua filha, desde que ele lhe desse em troca uma nascente. O pai desesperado aceitou de bom grado a proposta. Deu a Sísifo a nascente e soube então que sua filha fora raptada por Zeus.

Sísifo teve a água, mas arrumou outro problema: Zeus ficou furioso com a delação e mandou a Morte buscá-lo.

Confiando na própria astúcia, Sísifo recebeu a Morte e começou a conversar. Elogiou sua beleza e pediu-lhe para deixá-lo enfeitar seu pescoço com um colar. O colar na verdade não passava de uma coleira, com a qual Sísifo manteve a Morte aprisionada e conseguiu driblar seu destino.

Durante um tempo, não morreu mais ninguém. Sísifo soube enganar a Morte, mas arrumou novas encrencas. Desta vez com Hades, o deus dos mortos, e com Ares, o deus da guerra, que precisava dos préstimos da Morte para consumar as batalhas.

Tão logo teve conhecimento do acontecido, Hades libertou a Morte e ordenou-lhe que trouxesse Sísifo imediatamente para os Infernos. Quando Sísifo se despediu da mulher, teve o cuidado de pedir secretamente que ela não enterrasse seu corpo.

Já nos Infernos, Sísifo reclamou a Hades da falta de respeito de sua esposa em não enterrar seu corpo. Então suplicou por um dia de prazo para se vingar da mulher ingrata e cumprir os rituais fúnebres. Hades concedeu-lhe o pedido. Sísifo retomou então seu corpo e fugiu com a esposa. Havia enganado a Morte pela segunda vez.

Viveu muitos anos escondido, até que finalmente morreu. Quando Hades o viu, reservou-lhe um castigo especial. Sísifo foi condenado a empurrar uma enorme pedra até o alto de uma montanha. Antes de chegar ao topo, porém, a pedra rolava para baixo, obrigando Sísifo a retomar sua tarefa, até o fim dos tempos.

Os Sísifos modernos: a infelicidade por falta de força

Essa é a infelicidade mais dolorida que existe e que lentamente despedaça o coração dos Sísifos. Quando a pessoa olha para sua vida, percebe que realizou muito pouco de seu potencial. Olha para o passado e vê as oportunidades que perdeu. Nas noites solitárias lembra-se dos amores desperdiçados. É uma dor silenciosa que os Sísifos têm de carregar em seu exílio dentro de casa.

Normalmente, eles culpam e acusam os outros por sua infelicidade, dão um milhão de explicações dos motivos que impedem as coisas de funcionar. Mas, dentro de si, sabem da verdade: faltou força interior quando partiram em busca dos seus sonhos.

Quando os Sísifos olham pelo retrovisor têm de agüentar as lembranças de muitas pedras que não conseguiram levar até o topo da montanha.

A infelicidade causada por falta de força interior, de determinação, ocorre na vida de pessoas geralmente hábeis em procurar soluções paliativas, o que só aumenta seus problemas. Os atalhos que percorrem apenas criam mais complicações. São os reis do quase:

- *quase entraram na faculdade...*
- *quase se formaram...*
- *quase jogaram futebol no São Paulo...*
- *quase foram atrizes da Globo...*
- *quase se casaram...*
- *quase foram promovidos.*

Sua maior dificuldade é concluir os projetos, por isso estão sempre recomeçando. Seus esforços são desordenados e produzem parcos resultados. Estão sempre com dificuldades financeiras e pedindo dinheiro emprestado. São, também, mestres em adiar. Para eles:

- *hoje é impossível por causa do trânsito...*
- *conversaremos na próxima semana...*
- *no próximo mês começarei a procurar emprego...*
- *este ano vou parar de fumar...*
- *qualquer dia desses levarei flores para minha mulher.*

Só que qualquer dia não chega nunca.

Muitas vezes, são pessoas deliciosas para conversar: sempre

têm na ponta da língua uma justificativa para o fracasso no amor, nos negócios, no emprego. E a culpa em geral nunca é deles, mas sim do marido ou da esposa, do sócio, do chefe. Têm sempre preparado um projeto genial para ganhar dinheiro. Vivem a fantasia de que, com uma idéia mágica, não precisarão lutar para realizar suas metas. Não aprenderam a colocar a pedra no topo da montanha.

Uma história

Mário era um homem inteligente, bonito e carismático. Descendia de uma família carinhosa e muito unida. Mas seus pais eram superprotetores, faziam tudo por ele. Tudo mesmo. Não o deixavam aprender a viver por si próprio. Como eram ricos, ele não precisava trabalhar. Nunca aprendeu a lutar pelos seus sonhos. Iniciou pelo menos uns vinte negócios diferentes, mas nenhum foi adiante. Casou, teve filhos, mas, diante das primeiras dificuldades, separou-se. Como não tinha estabilidade profissional nem financeira, não cuidou das crianças.

Aos quarenta anos, voltou a morar com os pais, que agora já não desfrutavam uma situação econômica favorável. Nas raras vezes em que arrumava emprego, pedia demissão semanas depois. Dizia que o salário não compensava tanto esforço. Não adquiriu o gosto de superar obstáculos.

A família tinha criado um véu de proteção tão poderoso para aquele homem que nada o motivava. Mesmo depois, quando seus pais ficaram em situação financeira muito difícil, ele não conseguia arrumar trabalho, pois isso significava sacrifício. Na verdade, seu sonho era continuar a vida inteira como na infância, com empregados sempre disponíveis e os pais prontos a atendê-lo em qualquer necessidade.

Como Mário, muitas pessoas vivem acomodadas em situações desconfortáveis. Acostumaram-se a pedir, em vez de correr atrás, e não percebem que o sofrimento de ser dependentes é muito maior do que o de batalhar para alcançar seus sonhos. Sacrifício é uma palavra que não faz parte de seu vocabulário.

É importante ter sonhos, mas é preciso também ter disposição para enfrentar as turbulências. Alguém com vontade de iniciar um negócio, mas sem a menor disposição de enfrentar as dificuldades normais que certamente vão aparecer, acaba acumulando mais uma frustração. Boas idéias, talento e habilidade não são suficientes. É preciso ter força de vontade para aprender a administrar o negócio, passar horas trabalhando, lidar com funcionários, receber fornecedores, atender clientes difíceis. Esse é o preço de ser dono de uma empresa.

Sucesso sem luta é impossível. Sucesso é conseqüência de esforço, dedicação, planejamento. Os milagres existem, mas são construídos. As mágicas são simplesmente ilusões. Não existe magia na escalada do sucesso.

Precisamos também aprender a valorizar o adversário, o concorrente, e a respeitar os obstáculos. Quando se pretende realizar um grande sonho, deve-se entender que os obstáculos são do tamanho do sonho. Muitos costumam desprezar essa realidade, dificultando — ou mesmo tornando impossível — a realização do sonho.

Histórias de fracassos são pontilhadas de desprezo pelas dificuldades. Quanto maior o sonho, maiores as dificuldades. Isso não quer dizer que é preciso preocupar-se com elas a ponto de inibir as iniciativas necessárias para realizar os sonhos. Mas é preciso conhecê-las para poder enfrentá-las e superá-las.

Há dois tipos de perdedores. Os que entram na luta já derrotados e os que acham que nunca serão derrotados. O verdadeiro vencedor sabe que em toda disputa é possível tanto ganhar quanto perder e se prepara para não ser surpreendido.

Não pense que alguém começa um negócio e, de imediato,

obtém sucesso. Não acredite em presente de Papai Noel. Acredite em trabalho, planejamento. Acredite em você e na sua equipe. Montar um negócio sem estar preparado para administrá-lo é jogar um sonho pela janela. Da mesma forma, fazer vestibular sem ter estudado é gostar de se frustrar. Os sonhos exigem respeito.

Muitas vezes, a base do sucesso é o trabalho de bastidores.

O resultado é conseqüência da preparação. Muitos exibem uma confiança irresponsável e confundem criatividade com improvisação. Os vencedores sabem que os sonhos malcuidados se transformam em pesadelos.

A infância

Em geral, os Sísifos têm pais superprotetores, que acreditam estar fazendo um grande bem a seus filhos eliminando da vida deles todos os problemas. Não percebem que ser pai é a arte de se tornar desnecessário, é ajudar os filhos a aprender a superar desafios e a confiar em sua própria capacidade. Pais superprotetores são capazes até de montar um quebra-cabeça para os filhos só para os livrar desse trabalho.

O pai que evita, de todas as formas, o sofrimento do filho acaba minando a força natural que existe nele. É o que acontece quando a criança, cursando uma escola mais exigente, não vai bem em uma ou outra matéria. Em vez de estimulá-la a superar a dificuldade, o pai prefere diminuí-la transferindo-a para uma escola mais fraca. Se isso não for bem elaborado, essa criança poderá criar a idéia de que o pai sempre aparecerá para resolver seu problema.

O que também enfraquece as pessoas são os pais que constantemente as recriminam e apontam seus defeitos. "Meu filho só me traz problemas", dizem. A criança cresce, então, achando que é incapaz, já que o julgamento a seu respeito foi feito pelos pais. Acaba aprendendo a gostar da frustração e a vê-la como vantagem. Sabe que alguém vai se sentir feliz quando fizer algo errado.

Havia, no Alasca, um pássaro chamado Dodô. Era ágil e conhecido por sua árdua luta para conseguir alimento naquela região gelada. Quando chegava o inverno, migrava para lugares mais quentes e depois voltava. Assim ia vivendo. Lutando e vencendo seus desafios.

Com o tempo, o pássaro Dodô transferiu-se para as Ilhas Maurício, onde havia comida em abundância. Lá, ele engordou, desaprendeu a voar longas distâncias e deixou de lutar pela sobrevivência, pois tudo era fácil. Certo dia, foi exterminado pelos porcos, que o mataram quando ele pousava no chão. Dessa forma, esses pássaros foram extintos.

Por isso, agradeça aos concorrentes, que não permitem que você se acomode e o estimulam permanentemente a superar seus limites.

Sofrimento básico: frustração

Os Sísifos são viciados em frustrações. Entram numa disputa sabendo que serão vencidos. Estão acostumados às derrotas. Claro que não admitem, mas se prepararam para a frustração. Quando as coisas dão errado, eles têm sempre uma desculpa preparada. O Sísifo é um perdedor que vive em um mundo de ilusões: novo projeto, nova amizade, novo emprego, novo curso. Acha sempre que "desta vez, tudo vai ser diferente". O problema é que ele se esquece de que, se não mudar sua forma de encarar a vida e os problemas, o resultado será sempre o mesmo.

São pessoas que não percebem que sonho sem ação é pura

ilusão. O sonho é apenas o primeiro passo. Precisa vir acompanhado de coração e determinação.

Os vencedores não se conformam quando não conseguem realizar seus sonhos. Isso é muito importante porque, a cada vitória, percebem que podem confiar em si próprios. O melhor alimento da auto-estima são as vitórias. Aprenda com as vitórias. As derrotas ensinam muito pouco. Quando você não realizar um sonho, sinta-se angustiado, inconformado. Aprenda a lição e, da próxima vez, tire nota 10.

Conheci uma jovem que, durante muitos anos, tratou mal seu marido. Um dia, ele resolveu separar-se dela. Então, ela me procurou. Durante mais de uma hora, eu a escutei. Por fim, ela me perguntou:

— Roberto, o que você acha que eu devo fazer? Estou me sentindo tão mal...

E eu respondi:

— Deixe que essa dor tome conta de você. Sinta-se mal. Porque assim você abre sua consciência para aprender a tratar bem seu próximo companheiro. É fundamental que você aprenda a utilizar essa angústia, esse arrependimento, como combustível para mudar a maneira de tratar quem você ama.

Algumas tribos indígenas dizem que o colo estraga as pessoas, e é verdade. Proteger uma criança com dificuldades na escola é uma coisa, mas mimar um adulto que não consegue manter um emprego é o mesmo que arrancar o coração dele.

Quando o fracasso não provoca nenhuma reação é sinal de que o sonho está perdendo a força. Da mesma forma, quando um executivo não se incomoda por sua empresa não estar atingindo as metas propostas, no ano seguinte se preocupará menos ainda com isso. Em pouco tempo perderá o cargo ou será demitido.

O vencedor sabe que está perdendo a dignidade quando começa a colecionar derrotas e percebe que algo diferente tem de ser feito para mudar os resultados.

É essa dignidade que leva as pessoas a atingir seus sonhos e transmite à consciência a seguinte mensagem: "Você é mais do que está conseguindo"; isso fornece energia para concluir um curso ou lutar por uma promoção.

Grandes sonhos exigem grandes crescimentos, grandes mudanças. Não adianta alguém querer alcançar um grande sonho se não estiver disposto a trilhar o caminho da evolução. Os vencedores percebem as oportunidades e fazem as mudanças necessárias para aproveitá-las.

Durante meu curso na faculdade de Medicina, uma amiga minha, que pertencia a uma família riquíssima, apaixonou-se por um rapaz que trabalhava como auxiliar de contabilidade e me deu uma linda aula de amor. Fiquei amigo desse rapaz. Certo dia, ele me contou: "Sou apaixonado por ela e percebo a diferença que há entre nós. Mas decidi que este ano vou entrar na faculdade e assim diminuir um pouco essa diferença". Então, eu lhe perguntei: "Mas nem o primário completo você tem, como vai poder entrar este ano na faculdade?"

Determinado, o rapaz fez curso supletivo, passou no exame de primeiro grau, no de segundo grau e, no final daquele ano, prestou vestibular para Administração de Empresas. Quando chegou o Natal, seu presente para a mulher amada foi a matrícula na faculdade. Até hoje, o casamento deles é muito feliz. Desde o princípio, os dois mostraram que estavam dispostos a fazer os sacrifícios necessários para chegar à felicidade. Amar não é apenas um sentimento, mas uma maneira especial de tratar a pessoa de quem gostamos.

Quando alguém acalenta um grande sonho, precisa estar disposto a evoluir para poder realizá-lo.

Amor

O amor não é água de riacho, mas de enchente. Quando aparece, arrasta tudo com sua força. Quando o amor chegar, prepare-se para observar sua alma. No começo, é puro prazer, alegria e excitação. Passado algum tempo, ele começa a trazer os medos que estão no sótão da alma.

Quando não temos coragem de nos enxergar por completo, o amor transforma-se em uma grande ameaça. Por isso se diz que o amor não é coisa para covardes. É preciso arriscar-se a tudo, inclusive a abandonar a vaidade. Tudo em que você sempre acreditou de repente perde o sentido quando seu olhar cruza com o da mulher amada.

O amor é o próprio labirinto do Minotauro. Temos de aprender a conviver com ele para não cair na tentação de matá-lo.

Os Sísifos demoram vários anos para conquistar a pessoa amada e, quando conseguem, imaginam que a partir dali viverão no paraíso. Mas, quando descobrem que ainda há muitos desafios a superar, decepcionam-se.

Acorde! Existe uma beleza imensa em construir juntos.

Não há nada que valha a pena que já venha pronto e seja definitivo. Os seres vivos exigem evolução. Aprenda a ter prazer em corridas de obstáculos, que proporcionam o prazer da superação.

Os Sísifos têm a tendência de se transformar num peso na vida da outra pessoa. Um parceiro que aceite o comodismo da parceira, ou vice-versa, tende a repetir o papel dos pais superprotetores. Até o momento em que essa atitude se torna para o outro, ou para a outra, uma cruz pesada de carregar. Nessa fase, predomina o mau humor, e as reclamações são insuportáveis. Os Sísifos, então, assumem seu papel de vítimas, de pessoas que nunca conseguem atingir suas metas.

É muito decepcionante uma pessoa capaz como você se sentir vítima da humanidade. Desperte e levante-se. Venha observar o sol aquecendo o planeta.

Havia um homem que não parava de se queixar de sua cruz. Achava-a muito pesada e uma maldade ter de carregá-la. Um dia, procurou o mestre e pediu-lhe para trocar de cruz. O mestre, então, levou-o até o depósito de cruzes e disse-lhe que ficasse à vontade para escolher a que quisesse. O homem exultou de alegria e começou sua busca, mas as cruzes que encontrava eram imensas e pesadas, algumas de mármore, outras de aço. Quando estava quase desistindo viu, no cantinho do depósito, uma cruz tão pequena que parecia um crucifixo. Correu até ela, pegou-a e, ao ler o nome do dono, viu que era o seu.

Moral da história: pare de reclamar. Existe muito amor para você aproveitar nesta vida! Quando alguém não quer ficar com você é preciso entender isso como uma opção, e não como rejeição. As pessoas têm direito a escolhas, e isso é apenas um sinal de como elas estão naquele momento.

Por exemplo, eu adoro bolo com sorvete. Vamos supor, então, que uma amiga prepare bolo com sorvete para mim e, na hora de servi-lo, eu diga: "Não, obrigado, estou com uma indisposição que me tira a vontade de comer qualquer coisa". Ela se decepciona: "Puxa, fiz sua sobremesa predileta, sei que você adora..."

Eu recuso não por achar que o bolo não esteja gostoso, mas porque, naquele momento, não quero comer bolo. Quando uma pessoa não quer ficar com outra, isso não significa que seja desinteressante. Significa que, por algum motivo, essa pessoa não quer bolo com sorvete. O importante no amor é perceber que, quando o outro diz não, isso não significa que você está sendo rejeitado nem que seu companheiro está dizendo algo de você: ele está dizendo algo de si mesmo.

O amor é um aprendizado. Como diz o poeta, amar se aprende amando.

Ninguém é perfeito, estamos sempre aprendendo. Houve um homem que passou a vida inteira procurando a mulher perfeita. Terminou solitário, e um amigo o consolou: "Que pena, você passou a vida procurando a mulher perfeita e não a encontrou". O homem, então, respondeu: "Não, eu a encontrei". Curioso, o amigo quis saber: "Por que não ficou com ela?" E ele respondeu: "Porque ela não quis, estava procurando o homem perfeito".

Quem disse que se você encontrar o parceiro perfeito ele vai ficar com você? Quando duas pessoas se conhecem, procuram aperfeiçoar-se no amor porque o amor não existe antes da experiência, ele se constrói com a experiência, com a evolução. Esse é o amor que verdadeiramente transforma as pessoas.

Certa ocasião, eu estava na Índia com um guru quando um rapaz o procurou: "Mestre, minha esposa é muito chata, muito encrenqueira, e eu estou querendo deixá-la". O guru perguntou se ele a amava. "Sim, muito", respondeu o rapaz. "Então você deveria ficar com ela", disse. "Mas, mestre, ela é muito chata."

Amar seu filho quando você chega em casa e o encontra limpo, carinhoso, dizendo: "Pai, eu te amo" pode ser um amor bonito, mas sem glória. É completamente diferente de você chegar exausto do trabalho, gripado, querendo tomar um banho e dormir e encontrar seu filho doente. Seus planos mudam. Você passa a noite cuidando dele e, de manhã, quando o sol começa a entrar pela janela, você percebe que com seu carinho e sua dedicação ajudou-o a se recuperar. Nesse momento você descobre sua capacidade de amar.

E o mestre prosseguiu: "Quando você chega em casa e sua mulher está bonita e perfumada, cuidando de você e dizendo 'eu te amo', esse amor é bonito, mas não evolui. O crescimento só acontece quando seu afeto não é condicionado às circunstâncias".

Nunca desista de um amor simplesmente por causa dos obstáculos.

Aquele conto de fadas que acabava com a frase "eles viveram felizes para sempre" não passa mesmo de conto de fadas. Na vida real é preciso evoluir e superar novos desafios. Amar alguém é desejar evoluir juntos. Casar pensando apenas no romance representa uma passagem para o mundo da depressão. Não vai funcionar. O bom do amor, além do romance, é olhar para trás e ver quanto vocês evoluíram, imaginar o futuro e saber que ainda existem muitas conquistas para realizar juntos.

Perguntei ao mestre indiano Ramesh Balseakar por que as pessoas se machucam tanto quando amam. Ele me respondeu: "A gente tem de entender que as pessoas não são maldosas, mas sim ignorantes. Umas magoam as outras mesmo quando estão com vontade de se cuidar".

Além de ignorantes, as pessoas são desajeitadas. Ninguém nasce sabendo, e as lições da vida às vezes são muito doloridas. De tão desajeitadas, muitas pessoas acabam machucando quando querem amar. A maldade não existe entre duas pessoas que querem estar juntas. Então é preciso saber perdoar e admirar o desejo do outro de acertar.

Cada pessoa tem seu jeito de amar, maneiras diferentes, medos e idéias próprias. Às vezes, você pensa: "Mas ela poderia ter falado de outro jeito". Poderia, mas como compreender o mundo interior que a levou àquela reação? Como disse Cristo: "Pai, perdoai-os porque eles não sabem o que fazem". O amor é um longo caminho da ignorância até a sabedoria. Se você não tiver prazer em percorrê-lo, será somente uma ilusão.

Trabalho

O trabalho é uma das formas mais sublimes de realização do ser humano e, sem dúvida, o maior materializador de sonhos. Mas o que é remédio para uns pode ser veneno para outros. Enquanto para os Midas, como veremos adiante, o importante é aprender a relaxar no trabalho, para os Sísifos o caminho da realização passa pela concentração total em cada atividade que praticam.

Para eles, é importante perceber que uma vida é a soma de cada dia, e o tempo desperdiçado faz muita falta na realização de seus sonhos. De fato, as distrações nos levam a desperdiçar a energia que deveria estar concentrada em nossas metas.

A partida vale o campeonato e, em vez de se concentrar no jogo, o atleta briga o tempo todo com o juiz: derrota à vista!

Véspera de prova e, no meio do estudo, você atende o telefone, assiste à novela, liga para a mãe, abre a geladeira... No final, não restaram nem quinze minutos de estudo.

Uma das causas mais comuns da distração é a desorganização. Bagunça gera um enorme desperdício de energia. Quando alguém não reserva tempo para se organizar, seu aproveitamento fica comprometido.

Querer não é poder, mas sim fazer. Os vencedores não perdem tempo com crises existenciais. Eles decidem, planejam e realizam. Você tem de entregar um trabalho na escola? Então, faça-o. Não perca tempo com perguntas inúteis: "Será que eu posso entregar mais tarde, será que eu entendi o que é para fazer?" O tempo que você gasta nisso fará falta mais adiante.

Aprenda a se concentrar no que está fazendo. Não fique dividido. Sua energia é desperdiçada quando você trabalha pensando nas férias e depois sai para o descanso pensando no trabalho. Concentrar esforços é fundamental.

Poder é ser dono de sua atenção.

Parece incrível, mas os maiores destruidores de nossos sonhos estão dentro de nós mesmos. Meu professor de judô, quando eu era criança, costumava dizer: "Roberto, a luta não é decidida no tatame, mas na sua maneira de ir ao combate. Quando você se levanta para ir ao tatame, já decidiu o resultado da luta. O pior adversário está dentro de você". A derrota ou a vitória já estão dentro de nós.

Às vezes, a pessoa vai para uma entrevista para conseguir emprego já se sentindo derrotada. No caminho convence-se de que a derrota é certa. Isso também acontece, freqüentemente, com vendedores que saem inseguros para visitar os clientes, mas vão até eles simplesmente para provar a si próprios que não conseguiriam mesmo vender.

A dúvida é o cupim da existência, aquele bichinho que fica dentro da madeira. Por fora parece que está tudo bem, mas por dentro a madeira já está corroída. Quando você decide realizar uma meta, proiba-se de dizer a palavra "será".

É como o jogador de futebol que vai bater o pênalti. Se, no momento de chutar a bola, tiver uma dúvida — "Será que eu vou marcar?" —, o que acontecerá? Essa dúvida vai enfraquecer seu poder e diminuir a potência de seu chute. Aquela microdiferença do lugar onde deveria chutar a bola faz com que ele toque mais na grama e o gol não saia.

Quando houver dúvida dentro de você, pare, observe-a e destrua-a. Não importa se ninguém mais no mundo confia em você: a certeza tem de nascer do seu coração. Acredite sempre, aconteça o que acontecer, e lute pelos seus sonhos.

O talento sem orientação transforma-se em frustração. É óbvio que há pessoas extremamente talentosas, empresários vitoriosos. Mais que outras, essas têm *feeling* para o negócio. Quando você observa Bill Gates ou Akio Morita, não resta dúvida de que eles têm talento. Quando ouvimos Elis Regina cantar é impossível deixar de perceber o talento fluindo de suas veias.

No entanto, muitas outras pessoas talentosas desperdiçaram

seu potencial pelo caminho. Por quê? Porque não estabeleceram uma estratégia, não tiveram a humildade de estudar nem visão para criar novas opções.

Garra e boa vontade são muito importantes, mas é preciso mais. Outro dia, abri a porta de minha casa no sítio, entrei, olhei junto à janela e vi um passarinho quase morto. Cheguei perto do corpinho dele e vi que estava sangrando. Reparei que na vidraça havia marcas de sangue. Fiquei imaginando o que havia ocorrido. Ele deve ter entrado por uma fresta e pensado que estava ao ar livre, mas, de repente, percebeu que estava dentro de uma grande gaiola.

Então olhou através da vidraça, certamente viu uma árvore muito frondosa que existe em frente à casa, lembrou-se de quando ficava naqueles galhos e voou em sua direção. Só que, no meio do caminho, chocou-se contra o vidro e começou a sangrar, em cima do bico. Talvez tenha, nesse momento, recordado o dia em que estava chovendo muito e ele teve de bater fortemente as asas. Ou então o dia em que, para não ser apanhado por um gato, teve também de bater fortemente as asas. E continuou batendo no vidro, até morrer.

Fiquei triste por ver o passarinho morrendo, mas ainda lutando. Depois, examinei o local e observei que, a apenas quarenta centímetros de distância da marca de sangue, a janela estava aberta. Não basta somente lutar, mas é preciso, principalmente, lutar com visão e estratégia, procurar novos caminhos, e não apenas repetir as soluções que sempre deram certo.

Alguém já disse que visão é a arte de ver o invisível.

É saber ver o que ninguém mais está vendo. Quando fazemos o que todos estão fazendo, somos mais um na multidão. O vencedor sabe que há duas frentes de batalha para chegar ao pódio. A batalha do presente e a do futuro. Não adianta estar bem, hoje, se o amanhã estiver comprometido.

Gerentes financeiros são ótimos para garantir o sucesso do presente e o pessoal de marketing é ótimo para pensar no amanhã. Por isso vivem, geralmente, em conflito, cada um vendo só um lado da questão. O líder de verdade consegue ter visão simultânea dessas duas dimensões. O futuro não acontece amanhã: ele é conseqüência do que se faz hoje. Na verdade, o futuro é o rabo do presente.

Os Sísifos primam por idéias novas, mas não levam nenhuma adiante. Estão sempre recomeçando. Sua carreira é cheia de altos e baixos. Nunca ficam num único degrau. Ganham e perdem tudo, novamente ganham e perdem tudo. Sobem e descem na carreira com a mesma facilidade. Têm idéias que consideram geniais, mas na prática é o que chamamos de fogo de palha. Meses depois já desanimaram diante dos obstáculos no meio do caminho. Para ter sucesso é preciso regularidade e constância.

No momento em que vai colocar a pedra no topo da montanha, falta-lhe força e a pedra rola, desmorona. Ele olha desconsolado e triste lá para baixo, e culpa a pedra. A culpa por não conseguir realizar sua meta é sempre da pedra ou da montanha. Ele nunca assume a responsabilidade por seus fracassos.

São pessoas que freqüentemente têm problemas com dinheiro, gastam mais do que ganham e se tornam dependentes de quem os ajuda financeiramente. Com essa conduta, acabam criando dificuldades para a família. Os Sísifos não percebem o grau de desqualificação a que se submetem. Não notam que o esforço para recomeçar é muitas vezes maior do que o necessário para concluir seus projetos.

A transformação acontece quando começam a colocar paixão no seu trabalho.

Hoje em dia, as pessoas aproximam-se umas das outras analisando quanto vão ganhar com elas.

É importante sentir amor pelo que é feito.

A função da enfermagem e da medicina vai muito além de indicar remédios. Da mesma forma, a função de um pai não é somente sustentar a casa. É isso também, mas é importante perceber que existe uma função maior no que você faz. Quando o profissional trabalha com amor, seu trabalho transcende a dimensão de ganhar dinheiro para a da realização da sua missão.

Filhos

Muitas pessoas, quando são convidadas para fazer um curso, assistir a uma palestra ou seminário, usam os filhos como impedimento e justificam: "Eu não posso ir porque tenho de cuidar dos meus filhos".

São essas mesmas pessoas que depois, quando não progridem na vida, jogam a responsabilidade nas costas dos filhos: "Minha vida teria sido diferente se eu tivesse feito uma faculdade, mas não fiz para cuidar bem de você, e agora você me abandona para estudar fora?" Os filhos devem ser motivação para um sacrifício extra, e nunca justificativa do fracasso dos pais.

Os pais vencedores nunca dizem para os filhos: "Isso não é para você". Ao contrário, procuram viabilizar junto com eles uma maneira de realizar seus sonhos.

Os pais Sísifos são mestres em prometer coisas aos filhos e não cumprir. Por isso, estão sempre arranjando desculpas, justificativas, reclamando dos outros. Transmitem aos filhos o modelo de como ser vítima do mundo.

Geralmente, são pais muito divertidos, companheiros. Mas não são capazes de ensinar o prazer de ultrapassar desafios, o prazer da conquista, o prazer da vitória, o prazer de ser bom. Não ensinam que, para atingir metas, é preciso dedicação. É fundamental que os pais sejam para seus filhos modelos de autonomia.

Amigos

Os Sísifos modernos sempre têm muitos amigos, gostam de conversar, saem para se divertir, são sedutores, cativantes. No entanto, tendem a escolher amigos também Sísifos, pessoas que não conseguem sucesso na vida, que estão sempre pedindo favores, que vivem dando desculpas. As pessoas realizadoras cansam-se dessas desculpas e acabam não desenvolvendo com os Sísifos uma amizade prolongada e sincera.

Geralmente os Sísifos e seus amigos formam os clubes dos frustrados e oprimidos, uma entidade que congrega os teóricos do fracasso. Até que, certo dia, um deles imagina-se um velhinho reclamando de tudo, então afasta-se do grupo e se propõe realizar seus sonhos. Os outros membros ficam revoltados com sua mudança, exigem retratação, e quando ele resolve desligar-se definitivamente é expulso da turma.

O ex-Sísifo decide então resolver sua vida e colocar a pedra no topo. Os ex-amigos ironizam, passam a dizer que ele se vendeu para o sistema, até que outros membros do clube decidem também transformar suas vidas.

Sempre haverá pessoas que desistem de conduzir as pedras até o topo e, apesar da compaixão que podemos sentir, é preciso entender que essa é a opção de vida delas.

Os caminhos da transformação

Ao não conseguir colocar a pedra no topo da montanha, os Sísifos sofrem inutilmente, mesmo porque, para eles, a felicidade é o sucesso!

Quando uma turma de recém-formados sai da faculdade, todos têm seus sonhos. Alguns tornam-se grandes profissionais, talvez 5% ou 10% do total. A maioria será formada de profissionais medianos, e uma boa parte abandonará a carreira. A mesma coisa acontece no mundo dos negócios. De um número imenso de novos empresários, 20% têm sucesso e 80% fecham a empresa nos primeiros anos. O que é preciso fazer para reverter essas estatísticas que revelam tantos sonhos que viram pesadelos?

Quando eu era criança, minha família era muito pobre e vivíamos em um bairro humilde. Depois de lutar durante muitos anos, meus pais compraram uma casa de alvenaria em um bairro melhor. Após algumas semanas na casa nova, minha mãe, achando-me meio estranho, perguntou se eu não estava feliz com a mudança. Então respondi:

— Mãe, adorei a casa nova, mas estou triste porque nossos amigos não vieram com a gente. Por que eles não mudaram para cá?

Minha mãe explicou:

— Filho, infelizmente eles ainda não aprenderam a realizar seus sonhos. Tenho certeza de que todos os nossos ex-vizinhos gostariam de estar morando aqui, neste lugar, mas eles ainda não sabem como tornar seus sonhos realidade.

Desde essa época eu me pergunto: o que as pessoas devem fazer para realizar seus sonhos?

> *Hoje sei que para isso é preciso ter quatro "D": determinação, dedicação, disciplina e desprendimento.*

Em outras palavras, os Sísifos precisam descobrir o guerreiro que existe dentro deles.

Determinação é aquela força interior capaz de levar alguém a afirmar com convicção: "Este é o meu sonho. Não morro sem realizá-lo, mesmo que demore vinte, trinta anos".

Quando observamos os grandes atletas, podemos reconhecer neles a determinação em alto grau. Eles estabelecem e buscam suas metas com tanta força interior que os obstáculos somem de sua frente. Milhares de jovens dizem a si próprios: "Eu vou ganhar medalha de ouro, eu vou jogar na seleção". Mas só os que tiverem determinação chegarão lá.

Isso ocorre muito no vestibular. Jovens que decidem ser engenheiros, advogados, médicos e depois de algum tempo estão recebendo seus diplomas. A determinação faz com que eles adquiram poder para enfrentar os obstáculos.

Talvez você não saiba, mas a tripulação das caravelas de Cristóvão Colombo, um dia antes do descobrimento da América, insistia em voltar para a Europa, achando que a viagem estava demorando muito, os alimentos estavam escasseando e eles não iriam mais chegar a lugar nenhum. Mas, como líder decidido que era, Colombo acreditou na sua meta e manteve a determinação de chegar ao Novo Mundo.

Pessoas determinadas fixam sua atenção nos objetivos, enquanto os perdedores concentram-se nos obstáculos.

Enquanto os jovens vencedores imaginam o diploma e estudam com afinco, os perdedores queixam-se de cansaço. Os vencedores têm em mente a festa de formatura, enquanto o perdedor pensa no jogo de futebol do qual deixou de participar. Um vive procurando solução para os problemas; o outro, uma desculpa para desistir.

Dedicação é a capacidade de se entregar à realização de um objetivo.

Não conheço ninguém que tenha progredido na carreira sem trabalhar pelo menos doze horas por dia nos primeiros anos. Não conheço ninguém que conseguiu realizar seu sonho sem sacrificar sábados e domingos pelo menos uma centena de vezes.

Da mesma forma, se você quiser construir uma relação amiga com seus filhos, terá de se dedicar a isso, superar o cansaço, arrumar tempo para ficar com eles, deixar de lado o orgulho e o comodismo. Se quiser um casamento gratificante, terá de investir tempo, energia e sentimentos nesse objetivo.

O sucesso é construído à noite! Durante o dia você faz o que todos fazem. Mas, para conseguir um resultado diferente da maioria, você tem de ser especial. Se fizer igual a todo mundo, obterá os mesmos resultados. Não se compare à maioria, pois, infelizmente, ela não é modelo de sucesso.

Se você quiser atingir uma meta especial, terá de estudar no horário em que os outros estão tomando chope com batatas fritas. Terá de planejar, enquanto os outros permanecem à frente da televisão. Terá de trabalhar, enquanto os outros tomam sol à beira da piscina.

A realização de um sonho depende da dedicação. Há muita gente que espera que o sonho se realize por mágica. Mas toda mágica é ilusão. E ilusão não tira ninguém do lugar onde está. Ilusão é combustível de perdedores.

Disciplina é a capacidade de seguir um método. Quando se fala em disciplina, a primeira coisa que vem à mente é o conceito de rigidez. Mas disciplina, na verdade, está associada à palavra discípulo, que é aquele que tem capacidade de aprender com um mestre, segundo seu método.

Ter método é fundamental para chegar ao topo da montanha! Se você quiser extrair água de um poço, não pode furar um buraco a cada dia. Precisa avançar em um único poço até atingir o ponto onde está a água.

Quem quer resolver seu problema de obesidade necessita de disciplina. Não adianta ficar três dias sem comer e depois se entupir de chocolate. Quem quer ser campeão de natação tem de treinar todos os dias. Não adianta treinar durante dez horas seguidas e depois parar por três ou quatro dias.

Ter método evita desperdício de energia. O método pode ser seu, de seu professor, de seu líder religioso, de seu pai. O importante é que funcione.

Dentro de uma equipe de vendedores, por exemplo, cada um tem seu método particular de trabalho e de abordagem. Não existe um método melhor. Existe o que dá mais resultado, e isso tem relação com a pessoa que o aplica. O melhor método é o que dá o melhor resultado para a pessoa que o utiliza.

Para seguir um método temos de ser organizados e humildes. A humildade é fundamental para que não se perca tempo querendo reinventar a roda. Aprenda com aqueles que já conseguiram chegar lá, ande pela estrada que outros já abriram. E, quando chegar aonde eles já chegaram, aproveite para superá-los.

Desprendimento é a capacidade de abandonar o que não está funcionando para aprender o novo. É desapegar-se de certa maneira de fazer algo para conseguir um resultado melhor.

Antigamente, eu escrevia meus livros à mão. Era bastante trabalhoso, mas eu gostava. Quando apareceu o computador, minha primeira reação foi achar que a nova invenção não me proporcionaria a mesma sensação gostosa de escrever meus textos. Lembro-me da batalha que meu irmão Gilberto travou comigo para me convencer a experimentar o computador. Foi preciso que eu me desprendesse da caneta, do papel, do concretismo que isso significava, para poder passar para o computador.

No começo foi uma luta, perdi muito texto por me esquecer de salvá-lo. Meu ritmo diminuiu bastante, achava muito mecânico digitar no teclado. Várias vezes pensei em desistir, mas, graças à ajuda de meu irmão, persisti até conseguir aprender a lidar com essa tecnologia. Hoje, adoro escrever em computador, e meu *notebook* transformou-se em um grande companheiro de minhas viagens.

Pode ser que a vida inteira você tenha trabalhado de um jeito. Mas chega a hora em que tem de mudar. É preciso haver desprendimento. Abandone o que você sabe (e muitas vezes o que você gosta) e pense nas vantagens da mudança. Gostar da mudança pode ser só uma questão de experimentar o novo.

Esta é a maior dificuldade de muitas pessoas: desaprender comportamentos que funcionaram no passado e partir para outros que funcionam melhor.

A rejeição à mudança é muito comum no ambiente empresarial, onde profissionais com muito tempo de casa recusam-se a mudar porque sempre fizeram as coisas de determinada maneira e deu certo. Alegam que têm experiência, mas se esquecem de que a experiência deles refere-se a outro momento.

Muito da nossa experiência tem raízes em um mundo que não existe mais.

É o caso também de pais que se relacionam bem com os filhos enquanto são crianças, mas não mudam de atitude quando eles entram na adolescência. Não vale a pena resistir à mudança, pois os adolescentes não querem ser tratados como crianças. Quando os pais insistem, os conflitos são inevitáveis. Para o bem desse relacionamento, é preciso ter humildade para deixar o passado para trás e criar um novo aprendizado.

Nesta nossa longa viagem pelo planeta Terra, quem anda sobrecarregado acaba ficando cansado, sem energia para aproveitar a vida. Amores passados, relacionamentos vazios, culpas, ressentimentos, crenças. Essas são algumas inutilidades que carregamos na bagagem da vida e que consomem uma quantidade considerável de energia, que poderia estar sendo destinada a coisas mais importantes.

Precisamos aliviar-nos do excesso de bagagem para poder viver com criatividade. Carregue o mínimo peso possível, só o que for estritamente necessário. Quando você era criança, seus pais e seus professores fizeram sua mala. Continuar carregando tudo o que foi colocado dentro dela é uma decisão que hoje compete a você. Jogue fora o que é inútil!

Aquele ex-amor que acabou há muito tempo, mas sempre atrapalha quando você começa um novo relacionamento; a raiva do irmão mais velho, e ainda por cima bem-sucedido, alimentada durante a infância e adolescência; a mágoa do pai que o humilhou; a culpa pela doença da mãe...

Limpe sua vida e seu coração, deixe essa pessoa cheia de entraves para trás. Não importa quanto doeu ou foi bom. Se o passado é uma carga pesada, jogue-o fora. Se alguma coisa no presente também está difícil de carregar, livre-se dela. Desfaça os contratos malsucedidos. Rasgue as promissórias!

Aprenda a perdoar. Há gente que, em vez de levar a vida adiante, preocupa-se em cobrar dívidas do passado.

Lembro-me de um homem que perdeu pelo menos vinte anos de sua vida cobrando uma divisão de bens da ex-mulher. Gastou muito dinheiro e energia com advogados, julgamentos, depressões e crises. Durante esse tempo, sua vida transformou-se num inferno. Não percebia que, se estivesse com a mente tranqüila para se dedicar ao trabalho, recuperaria em um ou dois anos o valor daqueles bens. Nem mesmo sua vida sentimental ficou livre da interferência dessa cobrança. Quando começava a namorar, passava o tempo todo reclamando da ex-mulher. Talvez ela tivesse realmente prejudicado aquele homem, e a cobrança fosse um direito dele. Mas essa dívida do passado estava comprometendo seu presente e seu futuro. Teria sido muito mais prático desistir da briga e ficar desimpedido para novos interesses.

> *Climas de guerra impedem as pessoas de fluir, crescer e atingir o sucesso. Muitos não crescem por ser vingativos.*

Um exemplo é a mulher que quer trabalhar depois do casamento, mas o marido não deixa. Passado muito tempo, só para torturá-lo, ela relembra a ele sua infelicidade: "Estou assim hoje por sua culpa, você estragou minha vida... Você não deixou que eu realizasse meu sonho... Você me proibiu de estudar e trabalhar... Você é o culpado da minha infelicidade..."

Como dizem os chineses, quando você partir para uma vingança, prepare duas covas. O vingativo também paga, às vezes com a própria vida, o preço de sua vingança.

No caso do marido que teve uma relação extraconjugal e a mulher não o perdoa nem se separa dele, a relação torna-se cheia de cobrança e culpa. É melhor ela decidir: ou perdoa o marido, num gesto de generosidade consigo mesma e com ele, ou se separa.

Os estrangeiros que vão à Índia consultar os mestres costumam usar a expressão "rasgue o passaporte". Isso significa que é preciso esquecer tudo o que ficou no país de origem para aproveitar profundamente a nova experiência. Da mesma forma, quando começar um novo relacionamento ou um novo negócio, feche a porta do passado, para não voltar a ele, e mergulhe fundo na nova aventura.

Alvin Tofler diz que "o analfabeto do ano 2000 não será o que não sabe ler e escrever, mas o que não conseguir aprender, desaprender e reaprender". Substitua o passado ineficiente pelas coisas novas que funcionam.

REI MIDAS

O MITO

Midas era um rei completamente apaixonado por dinheiro e, apesar de milionário, queria ter sempre mais para ser a criatura mais rica do planeta. Quando Baco lhe ofereceu a realização de um desejo, como recompensa por ele ter cuidado de um amigo, Midas pediu o poder de transformar em ouro tudo o que tocasse. Baco percebeu que esse desejo significava a destruição de Midas, mas, como havia prometido realizar qualquer desejo, cumpriu a palavra.

Midas voltou a seu reino e resolveu testar se realmente havia ganhado esse poder. Durante a viagem, tocou uma pedra e imediatamente ela se transformou em uma enorme pepita de ouro. Logo adiante encontrou um galho de árvore e, ao segurá-lo, percebeu que ele se transformara numa barra de ouro. Tudo o que ele tocava virava ouro. Não demorou a perceber que poderia ser o homem mais rico da Terra. Seus cavaleiros ficaram sobrecarregados de tanto transportar ouro.

Chegando ao palácio, mandou servir um jantar delicioso, com todo o requinte. Então levou um choque. A realidade mostrou-se cruel. Todo alimento que seus lábios tocavam virava ouro. O pão transformava-se em ouro, assim como qualquer alimento. E, para seu desespero, a água que quis beber, quando tocada por seus lábios, também se transformou em ouro. Percebeu, então, toda a loucura de seu desejo. Não conseguia mais se alimentar, não poderia dormir num leito macio nem tomar banho numa banheira cheia de água morna.

O rei Midas voltou a procurar Baco e pediu-lhe que tirasse dele esse poder. Baco orientou-o para que se lavasse nas águas do rio Pactoros e, com efeito, depois de ter tomado banho naquele rio, ele perdeu o poder de transformar tudo em ouro. A consciência dessa transformação fez com que Midas abandonasse sua ambição material e passasse a viver de maneira mais simples e afetiva.

Os Midas modernos: a infelicidade por falta de amor

"Quando o amor é artificial, o dinheiro torna-se fundamental."

Osho

O mito do rei Midas é vivido por homens e mulheres que desejam ter o poder de transformar em ouro tudo aquilo que tocam. Se forem donos de uma empresa, ela será uma mina de lucros. Se forem líderes de um departamento, este produzirá resultados maravilhosos. Os projetos que administrarem sempre serão bem-sucedidos.

Esse modelo de infelicidade é semelhante ao que ocorre com uma pessoa que passa a vida inteira andando de avião. Ela pensa que conhece todas as cidades, seus povos, costumes e paisagens. Mas, na verdade, o que ela conhece são aeroportos, hotéis, escritórios e salas de convenções.

Como o rei Midas, as pessoas que vivem esse tipo de infelicidade são ricas e poderosas, mas não desfrutam suas conquistas. São pessoas fascinantes, com muitos amigos, mas que nunca têm tempo para cultivar e usufruir essas amizades. Têm casamentos sólidos, seus companheiros são apaixonados, mas não percebem o amor que lhes é dedicado. São amadas pelos filhos, mas não desfrutam esse amor.

Os Midas modernos nem sempre se preocupam em acumular riquezas materiais, imaginam-se reis, embora se vistam como mendigos. Alguns procuram acumular poder através de cargos ou títulos e se tornam arrogantes porque detêm muitos conhecimentos. Os venenos são diferentes, mas o efeito é o mesmo!

É triste ver pessoas que chegam aos cinqüenta anos e descobrem que passaram a vida inteira correndo atrás de bens vazios, sem nenhuma essência. A ambição desmedida faz com que essas pessoas não aproveitem um leito macio para dormir, embora freqüentem muitos hotéis elegantes e sofisticados.

O sucesso profissional, quando é conquistado sem vínculos afetivos, leva muitos Midas a viver na solidão. Esse é o preço que pagam por transformar tudo em ouro.

Os Midas modernos vivem uma infelicidade dourada. São pessoas carentes em meio a aplausos, dentro de carros maravilhosos, durante jantares magníficos e, principalmente, na solidão de suas gaiolas de ouro. Podem comprar qualquer coisa que o dinheiro permita, mas não conseguem se sentir em paz e criar relacionamentos duradouros.

Vivem acusando, reclamando e dando desculpas para sua solidão. Acusam as pessoas com as quais convivem de ser culpadas por sua infelicidade. Como se sentem superiores aos demais, estão sempre fugindo da responsabilidade da vida afetiva.

Mas atenção! Nem todos os ricos agem como Midas. Para muitas pessoas de sucesso, o dinheiro é apenas o passaporte para a felicidade, e essas são modelos de alegria.

Uma história

Paula é hoje uma rica empresária, mas foi pobre durante a infância. Desde criança, ela se acostumou a viver sem o pai, que a abandonou quando se separou da mãe. Depois de fazer faculdade de Administração de Empresas, ela trabalhou alguns anos em um banco, onde teve uma carreira brilhante. Resolveu, então, criar seu próprio negócio. Tinha prazer em contar que trabalhava 24 horas por dia, pois até durante o sono pensava em novos negócios. Os domingos eram seus únicos dias aborrecidos. Nunca tirava férias, no máximo emendava um final de semana em uma viagem de negócios.

Casou-se depois dos trinta anos, mas, na verdade, nunca foi apaixonada pelo marido, o que serviu de desculpa para a separação. Depois disso, manteve apenas romances rápidos, já que ninguém conseguia suportá-la.

Paula teve filhos, mas jamais foi buscá-los na escola ou assistiu às apresentações de balé da filha. Para ela, a vida era uma eterna competição. Não admitia perder nem em jogo de tênis, queria ganhar sempre. Os filhos diziam que era impossível dialogar com ela porque não eram ouvidos.

Em contrapartida, ela era muito admirada, vestia-se bem, usava jóias e sempre aparecia nos jornais exibindo os prêmios conquistados. Destinava uma parte de seu dinheiro a obras assistenciais, o que aumentava ainda mais a admiração de todos.

Mas quando não estava trabalhando estava comendo, o que preocupava sua família. Sempre sorria durante as refeições. Conversar com ela era estar disposto a ouvir sermões. Sua vaidade fazia com que visse defeitos em tudo e em todos. Era a única certa, os outros estavam sempre errados. Quando alguém lhe dizia algo que a desagradava, ela fazia questão de mencionar seu sucesso para provar que era melhor do que todos.

A infância

A infância dos Midas foi, em geral, carente de afeto ou de bens materiais. Na época, não tiveram carinho das pessoas que amavam. Então resolveram se arranjar sozinhos e ter muito sucesso para nunca depender de alguém, ainda que com isso passassem a esconder seus sentimentos.

Quando se sentiam solitários, pediam proteção às pessoas a seu redor, mas, muitas vezes, não recebiam ajuda e ficavam com raiva. Resolveram, então, negar essas fraquezas e fazem isso até hoje. Quando se sentem frágeis, demonstram irritação e afastam a possibilidade de receber ajuda.

Em alguns casos, os Midas tiveram infância rica, mas sentiam-se impotentes para obter amor dos pais. Não conseguiam fazer o pai ficar em casa para lhes dar o amor de que necessitavam ou não obtinham da mãe a tranqüilidade proveniente do amor e da ternura. Ganhavam muitos presentes, mas pouco carinho.

Outros, quando crianças, passaram por dificuldades materiais, não tiveram suas necessidades básicas atendidas e se desesperaram. Por isso prometeram a si próprios que nunca mais iriam se sentir carentes. Assim, acumulam riquezas para poder comprar tudo o que desejam, esquecendo-se, porém, de que o verdadeiro amor não está à venda.

Sofrimento básico: voracidade

O sofrimento básico de um Midas é sua voracidade. O que conquistou nunca é suficiente. Está sempre procurando preencher compulsivamente seu vazio existencial com conquistas que o afastam ainda mais de seus sentimentos.

Como vive distante de seu coração, não consegue se satisfazer com suas vitórias. Logo depois de conseguir alguma coisa, seja um amor, seja uma casa na praia, seja um carro, perde o interesse e parte para nova aventura.

Quer sempre mais. Vive em eterna competição. Tem insônia quando descobre que um concorrente teve sobre ele uma pequena vitória. Quer tudo para si, especialmente poder, sexo e dinheiro.

Poder para controlar as pessoas e estar sempre em evidência.

Sexo como forma de exercer seu domínio sobre alguém que deseja.

Porém, seu maior vício é o dinheiro. Seu prazer em ter dinheiro é imenso, exibe-se para os outros e busca o poder que a riqueza pode lhe trazer. Para se manter tranqüilo precisa saber que sua conta bancária está aumentando todos os dias.

Como é competente, cada dia ganha mais dinheiro e jamais recusa trabalho porque não consegue descartar a possibilidade de ganhar mais dinheiro ainda.

É o caso do profissional liberal que está sempre assumindo mais compromissos. Pensa: "Como posso recusar um cliente que vai me pagar tão bem?" Vive uma grande ilusão, pois acha que domina o dinheiro. Na verdade, o dinheiro é que o domina. O dinheiro é o todo-poderoso nessa relação. Qualquer pessoa consegue dele o que quiser se lhe acenar com dinheiro.

Um homem muito rico procurou certo mestre na Índia e, com muita arrogância, lhe disse: "Vou lhe dar mil moedas de ouro para construir o seu templo". O mestre, então, respondeu: "Por mim, tudo bem, aceito seu dinheiro". Surpreso, o milionário continuou: "Você está louco, estou lhe dando mil moedas de ouro, quando é possível viver a vida inteira com uma só delas, e você diz que aceita como se estivesse me fazendo um favor?" Impassível, o mestre repetiu: "Tudo bem, não há problema, vou aceitar".

Furioso, o milionário arriscou: "Você é muito egoísta, quer me humilhar, não está valorizando meu presente..." O mestre respondeu: "O que você pensa que está me dando? Você destruiu sua vida inteira por causa desse dinheiro. Agora quer me dar a fonte de todas as suas angústias e ainda espera que eu fique agradecido? Essa voracidade tem sido o seu câncer, tem corroído seu estômago. Você quer me dar o seu câncer e ainda quer que eu lhe agradeça? Você é que tem de me agradecer por aceitar a sua doença. Mas tudo bem, eu a aceito".

Então o homem deu o saco de moedas ao mestre, que decidiu: "Agora que esse dinheiro é meu, pegue-o e jogue-o no fundo do rio". Ao ouvir isso, o milionário ficou ainda mais desesperado: "Como pode jogar no rio o fruto de todo o meu sacrifício? Como despreza toda uma vida de luta?" E o mestre respondeu: "Você não é o seu dinheiro. Sua vida tem mais valor do que qualquer de suas conquistas".

A felicidade começa a acontecer para os Midas quando eles se entregam ao sabor das pequenas coisas que embelezam a vida. Passam então a perceber que sua fome não é de números, mas de carinho das pessoas amadas.

Amor

Um Midas não tem tempo para criar relacionamentos plenos, duradouros, pois acha que envolvimentos afetivos representam perda de tempo, e ele tem medo de que alguém descubra suas fragilidades. No início de um romance, é superapaixonado. Mas isso dura só algum tempo. Parece aquela criança que atormenta o pai para ganhar um brinquedo e, depois que o consegue, brinca com ele durante quinze minutos e o despreza.

No início, deixa a empresa com seus auxiliares só para ficar mais tempo com a pessoa amada. Um ou dois meses depois, a história já é outra. Começa a ouvir aquela vozinha dentro dele: "Você não pode perder seu tempo com isso..." Namoro é perda de tempo, paixão é perda de tempo. Namorar um Midas traz freqüentemente uma enorme sensação de engano, pois ele faz mil acrobacias para conquistar e logo depois perde o interesse. É como se o amor virasse um peso. Quando o namorado telefona, ela tem a sensação de que ele quer invadir seu espaço, sente-se sufocada.

Os Midas vivem a fantasia de um dia encontrar a pessoa perfeita, na esperança de que ela traga imediatamente o amor total. Mas, quando o enlevo do primeiro momento dá espaço às dificuldades, não conseguem se doar e procuram se livrar do outro como se este fosse a fonte de seus problemas. Ao se sentir desamados, colocam a culpa no outro, que não os preenche. No começo, consideram engraçados os pequenos defeitos. Mas, de maneira brusca e inesperada, um dia se decepcionam totalmente com o outro e procuram se afastar, cheios de ressentimento.

São pessoas que gostam de ser bajuladas. Querem ser sempre mimadas e que todos a seu redor satisfaçam seus desejos. Não admitem ser contrariadas. E, quando não conseguem realizar seus desejos, ficam amuadas e desprezam as pessoas, na esperança de que da próxima vez sejam obedecidas. Também querem tudo na hora, como se estivessem num supermercado, onde basta apanhar um produto na prateleira e consumir. O amor precisa de tempo, e não sabem dar a ele o devido tempo.

O verdadeiro amor acontece para o Midas quando ele começa a perceber o encanto da espera. Antigamente, quando as pessoas queriam comer milho ou qualquer outro vegetal, precisavam planejar, semear, tirar as ervas daninhas e, alguns meses depois, colher e comer. Hoje temos tudo isso no supermercado, não é mais preciso esperar que a planta cresça. Mas os Midas sofrem muito quando vão até as prateleiras do supermercado e não conseguem encontrar amor enlatado.

O amor continua sendo como o milho. Tem de ser cultivado, cuidado e aguardado. Isso não agrada os Midas. Eles querem sempre o prazer imediato. Investem num negócio e, três meses depois, já querem o retorno do investimento. Com o amor não é assim. É preciso desfrutar o prazer da semeadura e cuidar da nova plantinha.

Nós é que transformamos a semente em árvore para poder colher os frutos.

Quando o Midas é homem, tende a ter uma mulher que o ama muito, mas ele não a valoriza. Usa a companheira como governanta da casa, que, de vez em quando, recebe seus favores sexuais. Ou arruma uma mulher interesseira, totalmente embevecida por seu poder e dinheiro. Para ele, uma mulher assim é a prova de que todas são interesseiras e que o melhor é fugir delas.

A mulher Midas tende a ser extremamente competitiva na relação. Conquista o homem que admira, mas compete com ele o tempo todo. Nas conversas quer sempre dar a última palavra; nas festas quer brilhar mais do que o marido; na profissão quer ser mais bem-sucedida. Quando a mulher com essa personalidade se relaciona com um homem com o mesmo perfil, é uma luta para evitar que um domine o outro.

Para viver o amor, o Midas precisa aprender a se deixar dominar pela outra pessoa. É a única possibilidade. Amar é ser derrotado pela sensação de intimidade com a pessoa amada. É quando o Eu mais o Tu se transforma em Nós.

Trabalho

Para um Midas, o trabalho é tudo. Vive para o trabalho, dedica todo seu tempo a isso. É o tipo de pessoa que trabalha dezoito, vinte horas por dia, sete dias por semana. Toda a energia do Midas é direcionada ao trabalho. Não sai para jantar fora com os amigos, prefere jantar com parceiros de negócios. Não vai ao clube para relaxar, passa o tempo todo pensando em formas de ganhar mais dinheiro. Usa toda a sua energia para gerar mais riqueza para si próprio.

> *Ganhar dinheiro, para um Midas, é um prazer tão intenso e fugaz quanto a droga para o viciado.*

Como o dependente químico, ele também é insaciável e, por isso, nunca está verdadeiramente feliz. Está sempre se comparando com os outros, e é claro que sempre haverá alguém mais rico do que ele. Daí o desprendimento não ser uma qualidade comum ao Midas.

Ele não compreende a felicidade dos outros, pois não consegue entender que alguém possa ser feliz sem ter a mesma fortuna que ele.

Quando Alexandre, o Grande, partia para sua última conquista, passou por um homem deitado à beira de um rio, tomando sol. Percebeu que aquele homem demonstrava ter uma paz muito intensa, havia uma beleza diferente em seu rosto e no seu corpo seminu. Alexandre aproximou-se dele e se identificou: "Sou Alexandre, o Grande, o homem mais poderoso do mundo. Fiquei tocado com a sua paz e sua beleza. Estou disposto a realizar qualquer desejo seu".

Diógenes, então, respondeu: "Não tenho nenhum desejo. Tudo está completo". Alexandre retrucou: "Não é possível uma pessoa não ter nenhum desejo. Fale que eu lhe darei qualquer coisa que quiser". E Diógenes completou: "Na verdade, tenho um desejo. Por favor, saia da frente do sol. Você está me atrapalhando". Alexandre ficou revoltado com Diógenes porque ele não valorizou sua figura e suas conquistas. Como guerreiro, ele tinha poder de vida ou morte sobre aquele simples homem e com um gesto poderia tirar sua vida. Mas Diógenes disse: "Para mim não faz diferença viver ou morrer. Das duas maneiras estarei feliz".

Dizem que aquele encontro tocou tão profundamente Alexandre que ele teria se comprometido, depois daquela última guerra, a começar a desfrutar a vida. Infelizmente, morreu antes de realizar seu intento.

Os Midas não compreendem alguém que se sinta pleno, inteiro, sem ambições, pois para eles a vida não tem sentido longe do poder.

Filhos

Geralmente os Midas vêem os filhos como um empecilho para seus negócios e sua ascensão. Querem tê-los mais para poder exibi-los, e pouco se dedicam a eles. Por isso seus filhos freqüentemente se sentem um peso na vida dos pais.

No fundo, eles não vêem utilidade em fazer algo que uma babá pode fazer. Não percebem que a vida não é só a busca de resultados materiais, mas também a fonte de pequenos prazeres. Por querer somente as coisas úteis, perdem muito da beleza da vida. Afinal, que lucro pode trazer uma borboleta voando sobre uma flor? Apenas a beleza de seu vôo. E não é preciso mais.

Os Midas não percebem que há coisas na vida que foram feitas só para dar prazer.

Um indivíduo estava atravessando uma fase de muito trabalho na empresa. Chegava a trabalhar até quinze horas por dia, saía do escritório de madrugada. Um dia chegou em casa e ligou a televisão para assistir ao noticiário. Dali a pouco seu filho aproximou-se e pediu: "Pai, vamos brincar?" E o pai, sem tirar os olhos da televisão, disse: "Filho, eu estou ocupado, você não está vendo? Vá brincar com seu irmão". Obediente, o menino saiu.

Passados alguns minutos, ele voltou e perguntou: "Pai, quanto você ganha por hora de trabalho?" Chateado, o pai respondeu: "Filho! Já não falei que estou ocupado, que estou assistindo ao jornal? Vá brincar com seu irmão, converse com sua mãe, não me dê trabalho porque agora eu estou ocupado". O menino saiu e, depois de um tempo, voltou e perguntou novamente: "Pai, quanto você ganha por hora de trabalho?" Desta vez, o pai explodiu: "Você não tem educação? Não tem respeito por seu pai, que trabalhou o dia inteiro e está cansado? Cale a boca! Vai dormir hoje sem jantar, e fique quieto senão vou lhe dar uma surra!"

Apavorado, o menino subiu para o quarto. Quando terminou o telejornal, o pai se deu conta do quanto tinha sido injusto com o filho, que, afinal, só queria brincar e ficar com ele. Correu até o quarto, abriu a porta e viu que o filho já estava dormindo. Aproximou-se da cama e notou a fronha ainda molhada pelas lágrimas do menino. Sentiu o coração apertar. Tocou no garoto e disse: "Filho! Acorde para a gente jantar". O menino acordou assustado e pediu: "Pai, por favor, não me bata. Eu vim dormir como você mandou".

Aquela resposta apertou ainda mais o coração do pai, que, comovido, disse: "Filho, desculpe o papai. Eu estou com muitos problemas no trabalho e acabei descontando em você, que não tem nada a ver com isso. Eu tenho de arrumar tempo para a gente brincar, ficar mais tempo juntos, aproveitar mais a vida. Vamos descer e jantar juntos, quero conversar com você e saber como foi o seu dia". E o menino, feliz, perguntou: "Pai, quanto é que você ganha por uma hora de trabalho?" Ele pensou, fez as contas e respondeu: "Olha, filho, eu ganho dez reais por hora de trabalho".

O menino encarou o pai e pediu: "Pai, me empresta três reais?" Com aquela culpa toda, o pai pegou três reais e deu para o filho. O menino, então, tirou do bolso da bermuda um monte de notas e moedas, empilhou-as na mão e estendeu-as ao pai, dizendo: "Pai, aqui tem dez reais, você vende uma hora do seu tempo para a gente brincar junto?"

Amigos

O Midas sofre com a solidão, com sua incapacidade de comunicação. Tem dificuldades de compartilhar seus sentimentos. Para ele, os amigos são aquelas pessoas de seu círculo de negócios que lhe abrem as portas para ganhar mais dinheiro. A tendência é que o Midas seja visto como uma pessoa interesseira, dominadora e, ao mesmo tempo, submissa aos que têm mais dinheiro do que ela.

Como os Midas tendem a procurar utilidade nos outros, quando fazem amizade com alguém logo pensam nos benefícios que podem conseguir: "Puxa, ela é diretora do banco, pode me arrumar um bom negócio. Vou convidá-la para almoçar". As conversas do rei Midas são superficiais porque ele tem dificuldade de falar daquilo que, na realidade, é o mais importante: seus sentimentos, sua alma e sua vida.

Não sabem amar de verdade porque querem controlar tudo e todos. Querem controlar a maneira do outro falar, agir ou pensar. Querem que tudo seja feito à sua maneira. Não percebem que não existe somente um jeito de ser, uma forma certa para fazer as coisas, que cada pessoa tem a sua riqueza. Estão sempre maximizando seus ganhos e minimizando suas perdas. Se puderem, ficam com tudo, sem deixar nada para os outros. Para eles, quando um ganha o outro, necessariamente, tem de perder.

Estão sempre dando ordens. Querem parecer lógicos e racionais e exigem ser seguidos pelos outros. Não conseguem entender como certas pessoas se deixam levar por seus sentimentos. Por querer vencer sempre, acabam utilizando os outros como instrumentos. Suas amizades são condicionadas ao interesse e, portanto, distantes de uma verdadeira comunhão.

A transformação do amor

A admiração que as pessoas têm por um Midas incentiva-o a continuar mantendo o mesmo estilo de vida e a continuar infeliz. Geralmente, ele só enxerga a saída para sua angústia quando ocorre uma crise profunda em sua vida, como um infarto, uma separação indesejada ou um problema grave com um filho. Só assim ele decide fazer uma análise de sua vida e pensar em mudar. Acontece que, na maioria das vezes, trata-se de uma reflexão superficial. Passado o susto, ele se recupera e volta a ter as mesmas atitudes de sempre.

A verdadeira transformação ocorre quando ele consegue, de fato, interromper esse círculo vicioso e mudar seu estilo de vida. A passagem de um Midas do vazio para a felicidade é semelhante à do gênio que se transforma em sábio. Pequenos detalhes começam a indicar que a mudança está ocorrendo. A lagarta está se transformando em borboleta. Para isso terá de aceitar o fim do *superstar* e passar a experimentar a totalidade de sua dimensão como ser humano.

Os amigos da infância reaparecem, seus ídolos deixam de ser os grandes estrategistas milionários e passam a ser os sábios, sente vontade de conversar com os pais e a avó para voltar à infância, deixa de lado os livros de negócios e começa a ler sobre espiritualidade e relacionamentos, abandona a vida social agitada para ficar mais com filhos e amigos, sua sensibilidade aumenta; nesse período, surge uma grande tristeza por não ter cuidado bem de si mesmo.

Geralmente os Midas procuram esquecer o passado, pois estão sempre preocupados em conquistar o futuro. Até que percebem que a árvore ficou oca. Então, sentem falta de uma maior profundidade na sua forma de ser e começam a procurar suas origens. Descobrem que as maiores árvores são as que têm raízes mais profundas.

O sucesso de uma terapia é alcançado quando o indivíduo fica em paz com seus pais, o que não quer dizer aceitar tudo o que fazem, mas entender a maneira de ser deles.

Você vive melhor quando está em paz com seus antepassados; quando entende a lógica que existe por trás de seus atos. Se um homem guarda mágoa de sua mãe é bem provável que tenha problemas com a esposa. Se uma mulher guarda ressentimentos da mãe, pode ser que não viva bem consigo mesma.

Isso não significa que se tenha de viver em função deles. A compreensão das pessoas e dos fatos traz a verdadeira liberdade, pois a culpa é uma dependência disfarçada de amor.

Não queira ser o responsável pela felicidade de seus pais. Cada um escolhe sua maneira de viver.

É importante entender que o sofrimento quase sempre é uma opção individual. Sofrer ou não é uma decisão de cada pessoa e de mais ninguém!

Um milagre acontece quando você consegue olhar seus pais e dizer:

— Mãe, quero agradecer por tudo o que você fez por mim. Pelas noites que não dormiu direito, pelas viagens que deixou de aproveitar, por todo o sacrifício que fez para me ajudar a ser quem eu sou.

— Pai, obrigado por ter exigido de mim, pelos olhares de orgulho, por ter me orientado nos estudos e, principalmente, obrigado por todos os sonhos que você teve comigo.

Essa é uma tarefa que exige muito afeto e desprendimento, mas gera uma paz interior capaz de soltar as amarras da dependência que a culpa cria entre as pessoas. Fazer as pazes com o passado é fundamental para estar em paz consigo mesmo.

Em sua infância, seus pais, avós, tios, professores e outros educadores construíram o jardim onde você desabrochou. Ainda que você ache que não foi bem educado, que foi magoado pelos pais, que sofreu por ter passado necessidades, tenha certeza de que, na época, eles fizeram o que julgaram ser o melhor para você. E não funcionou? Lógico que sim. Hoje você não é uma pessoa generosa, batalhadora, honesta e de bom caráter?

Há pessoas que se esforçam para negar a infância pobre. Não se dispõem a rever velhos amigos nem lugares do passado. Desejam apagar da memória aquele tempo difícil.

O problema é que destruir o passado é o mesmo que abandonar uma parte de si próprio.

É importante ter um carinho especial pela criança que existe dentro de cada um de nós. Costumamos nos esquecer dessa criança durante os anos em que vivemos lutando para conquistar nossos objetivos. Mas, para estar em paz, é importante fazer as pazes com essa criança e cultivá-la todos os dias, para que ela se sinta amada, protegida e cuidada.

Quando não cuidamos bem dessa criança forma-se um vazio dentro de nós. Parece que está sempre faltando algo. Por isso, em meio a tantas riquezas, uma pessoa se sente pobre e, no meio de muito amor, sente-se mal amada. A criança interior continua pedindo sua atenção.

A primeira atitude que as pessoas tomam quando crescem é abandonar sua criança interior. Escondem-na no sótão para que ninguém a veja. Mas essa criança continua pedindo afeto, de uma maneira disfarçada.

Pessoas obesas muitas vezes são levadas a comer mais do que o necessário porque, no passado, sentiram fome. Pode também ser o caso de uma tristeza repentina que aparece no meio de uma festa animada. A felicidade está profundamente relacionada a nossa capacidade de cuidar da criança que existe em nosso coração. Dê-lhe um pé-de-moleque, leve-a para passear, afague-a.

A transformação do Midas é dolorida. Ele precisa de uma força interior imensa para encontrar a tranqüilidade durante essa passagem. É uma fase turbulenta, pois ele tem muito medo de perder tudo o que conquistou. Chega a passar noites sem dormir, até descobrir que insônia não é falta de sono, mas um tempo para conversar consigo mesmo.

Nessa fase de transição para a paz interior, ele sente muita falta das luzes do sucesso. É semelhante ao sofrimento de um alcoólatra quando pára de beber. Precisa ter coragem de dar um salto para atingir o outro lado do rio. Mas não desista. O salto vale a pena, pois os maiores tesouros não precisam ser perseguidos, eles estão aí, no sorriso da pessoa amada, no olhar de um sobrinho ou na simplicidade de uma caminhada...

Nesse salto aparecem alguns sinais de que o processo será definitivo. Então, os Midas começam a descobrir um novo sentido para a vida, aprendem a desfrutar as amizades, aceitam seus sentimentos e desenvolvem a capacidade de saborear os pequenos detalhes da vida. Sua transformação exige a travessia das quatro pontes da sabedoria: sentido de vida, silêncio, sentimentos e simplicidade.

A primeira ponte é a do ***sentido de vida.***

Como disse Osho: você já existia antes de nascer e continuará a existir depois do que chamam morte. Por isso, não fique recolhendo migalhas. Existe a eternidade para criar as riquezas que valem a pena.

Quando alguém consegue ver o todo, sua vida adquire um sentido maior do que conquistar. Ter é substituído por assumir. Suas ações passam a ser orientadas por sua alma. Nesse momento aparecem as perguntas "por que" e "para que" fazer algo e não se aceitam convites simplesmente porque eles dão mais *status* ou poder.

Quando você tem consciência da eternidade, para que reclamar se o marido quer ficar conversando com os amigos depois do trabalho? Melhor tê-lo feliz por pouco tempo do que amuado o tempo todo. Quando se tem consciência de que o amor do casal se estende através dos tempos, não tem sentido praticar jogos de poder para ver quem manda em casa.

Então, no momento de uma grande conquista, conscientizamo-nos do infinito e perguntamos: qual é o significado dessa conquista para nós mesmos, para nosso marido ou esposa, para a família, para as pessoas que amamos e para a sociedade como um todo?

Quando direcionamos nossos sentidos para a existência, o Midas passa de colecionador de riquezas materiais a colecionador de conquistas espirituais e afetivas. O Midas deixa de se orientar por objetivos e passa a se mover por afeto. Deixa de procurar o caminho mais rápido para buscar aquele que oferece maior realização. E encontra mais prazer no ato de viver.

*A segunda ponte da sabedoria é a do **silêncio**.*

A vida barulhenta é trocada pela voz de seu coração. Quando as palavras se calam no seu interior, você experimenta a sensação do divino. As noites agitadas de quem não quer perder nada são substituídas por encontros mais tranqüilos dentro da sua alma.

Viver o silêncio de seu ser consiste em esvaziar seu coração de todos os desejos, pensamentos, fantasias, tudo o que você guardou dentro de si, e deixar um espaço para sua alma se expressar sutilmente.

Entender palavras é muito fácil, mas você experimentará o perfume da vida quando compreender os milagres que acontecem quando um olhar encontra silenciosamente o olhar de outra pessoa.

Você conhece a verdadeira amizade quando as palavras não são necessárias e consegue perceber a beleza da lua encontrando o sol. Seu interior tem muito mais a dizer do que todo o noticiário dos jornais. Seu ser tem mais força do que todas as imagens das novelas. Quando acontece o silêncio, você não tem mais nada para provar.

Em certa cidade, havia um sacerdote de reputação ilibada, respeitado por todos. Um dia, soube-se que uma moça muito bonita, que morava perto da igreja, estava grávida. No início, a moça não quis revelar quem era o pai, mas depois de muita insistência contou que era o sacerdote. Os pais da moça, furiosos, chamaram-no de hipócrita, e ele se limitou a responder: "É mesmo?"

Quando a criança nasceu, foi entregue a ele, que, a essa altura, já havia perdido a reputação, o que não parecia absolutamente perturbá-lo. O sacerdote cuidou da criança com todo o carinho. Um ano mais tarde, a mãe da criança contou seu segredo: o verdadeiro pai era um jovem que trabalhava na praça da igreja, agora eles queriam se casar e ter a criança de volta.

O pai e a mãe da moça procuraram o sacerdote e contaram o ocorrido. Desculparam-se muito, imploraram seu perdão e pediram a criança de volta.

Ao entregar a criança, com boa vontade, o sacerdote disse: "Esteja em paz com você, e a compreensão virá do silêncio de sua alma".

A terceira ponte é a do ***sentimento.***

Amor é muito mais do que quatro letras reunidas. Sentir é mais importante do que todas as análises. Progressivamente, seu hábito de julgar as pessoas é substituído por uma capacidade de experimentar as próprias sensações e as dos outros. Sua bondade faz com que as interpretações habituais dêem lugar à compreensão. Então, começa a maior de todas as aventuras.

Na Índia, os mestres dizem que a estrada mais longa que existe é a que vai do cérebro ao coração. Somente a sabedoria pode fazer as pessoas descerem do pedestal de super-homem para ser gente de verdade. A vaidade transforma-se em simplicidade.

O Midas começa a abrir as portas de seus sentimentos e permite aos outros descobrirem sua fragilidade. Quando ele aprende a abrir seu coração, a falar de suas feridas e a ter humildade para assumir seus sentimentos, pode receber o carinho que lhe faltou na infância.

As feridas da alma nunca são curadas com sexo, comida ou poder, e sim com carinho, atenção, paz.

Quando você se permite pedir ajuda a alguém, está a caminho da felicidade. Ao perguntar ao filho como pode viver melhor, ao ouvir e valorizar a voz da pessoa amada, então, começa a ser feliz.

A bondade é fundamental para a felicidade. A generosidade é fruto da capacidade de sermos ricos de espírito. O indivíduo mesquinho é o ser mais pobre que existe, pois cobra até os centavos da vida. Mesmo quando, dominado por seu coração, tem um gesto generoso, no momento seguinte é dominado por sua mesquinhez e cobra o que fez. Sua vida é uma infindável conta bancária, com créditos e débitos. O bondoso, ao contrário, tem sabedoria para saber que existem atos que precisam ser perdoados, principalmente as dívidas do coração. Não perca a oportunidade de ser bondoso consigo mesmo.

Não perca também a chance de ser bom com os outros. Muitas vezes, as pessoas não se dão conta das oportunidades que têm de dar amor. Esperam a ocasião de criticar os outros, mas não têm nenhuma expectativa de dar amor e dizer coisas boas a respeito deles. É importante que não desperdicemos as oportunidades para mostrar o quanto somos ricos espiritualmente e quanto amor temos no coração. É importante deixar que as pessoas percebam a riqueza de nosso interior.

A rosa não escolhe para quem vai exalar seu perfume. Não seja simpático só com seu chefe, pai, filho, esposa, marido, amigo. Seja generoso com todas as pessoas! Generosidade não é apenas dar presentes. Seja generoso pedindo desculpas, elogiando, dando carinho, importando-se com as pessoas.

Você faria algo diferente se descobrisse que hoje é seu último dia de vida? O quê? Pediria desculpas para alguém? Declararia seu amor? Agradeceria a alguém? Faria uma dessas coisas? Então, o que você está esperando para fazer isso já? Está esperando descobrir que hoje é seu último dia de vida? Não perca essa oportunidade, transforme-se agora.

Um garoto de onze anos com leucemia precisou fazer um tratamento rigoroso de quimioterapia e radioterapia. À medida que o tratamento avançava, ele foi perdendo os cabelos, ficando magro e abatido. Depois de algumas semanas, começou a recuperar-se até que chegou a hora de voltar à escola. Porém, seus pais perguntavam-se como seria a reação dos colegas quando ele aparecesse careca e magro. "Será que a turma vai fazer gozação?", pensavam os pais, preocupados. Os professores e o próprio garoto estavam angustiados.

Mas aquele dia reservava a todos uma surpresa muito agradável. Quando chegou à sala de aula percebeu que todos os rapazes haviam raspado seus cabelos, numa manifestação do amor que sentiam por ele.

Há pessoas que têm a mania de olhar para os outros e ver um talão de cheques (com fundos, é claro). Estão mais interessadas em saber como o outro poderá ajudá-las a atingir suas metas, principalmente as materiais, do que em tornar-se amigas do ser humano que está à sua frente. No mundo dos negócios, é comum as pessoas se relacionarem visando interesses, mesmo quando estão em eventos especiais. Mas na vida pessoal não precisa nem deve ser assim.

As pessoas estão se esquecendo do quanto é gostoso sair só para se divertir, conhecer gente, trocar afetos e fazer amizades.

Estamos nos esquecendo de ajudar os outros — e de pedir ajuda também, por que não? É importante que redescubramos o prazer de tornar as pessoas felizes. Meu pai me dizia sempre uma frase que nunca mais esqueci:

— Filho, nunca perca a chance de ser legal.

Muitas pessoas vivem à espera de uma oportunidade para criticar, prejudicar, menosprezar o outro, mas perdem muitas ocasiões de ser boas. Quando era criança, eu gostava de acompanhar meu pai quando ele ia fechar suas farmácias aos domingos, na hora do almoço. Ele sempre andava com um maço de notas no bolso. E, em silêncio, quase escondido, aproximava-se de cada funcionário e dava-lhe uma dessas notas. Essa atitude chamava minha atenção e certo dia perguntei:

— Pai, por que você dá dinheiro todos os domingos para o pessoal que trabalha nas farmácias? Você já não paga os salários deles?

Meu pai respondeu:

— Filho, as pessoas que trabalham para a gente recebem o salário no final do mês e o entregam para seus pais. Quando chega o domingo, elas querem ir ao cinema ou ao circo, mas não têm dinheiro. Eu sei o quanto é triste você querer ir ao cinema e não ter dinheiro. Pelo menos quem trabalha para nós precisa ter dinheiro para ir ao cinema no domingo à tarde!

É muito bonito quando a gente sente prazer em proporcionar felicidade aos outros. Quando o sucesso implica sucesso para os outros, todos ficam felizes com seu êxito. Mas, quando o seu sucesso significa derrota para os demais, estes sentirão inveja de você. É muito triste não ter um amigo para comemorar as vitórias.

Há pessoas que dizem que o ruim do sucesso é a inveja. Mas isso só acontece quando o sucesso significa ganho para uns e perda para outros. Quando o sucesso significa ganho para todos, as vitórias ficam muito mais saborosas.

A quarta ponte é a da ***simplicidade.***

A sociedade de consumo cria um absurdo desejo de compra. A publicidade, desculpem-me meus amigos publicitários, forja um estereótipo de felicidade intensamente consumista. E muita gente destrói sua vida para seguir esses padrões.

O Midas, em seu processo de humanização, começa a avaliar suas reais necessidades. Deixa de ir a lugares e fazer compras só para estar na moda. Começa a ser mais cuidadoso com seu tempo para investi-lo em atividades que realmente tenham significado para sua vida. Muitos se esfolam para comprar uma roupa só porque a *griffe* está na moda. Mas a moda de hoje não é a mesma de amanhã, então todo o esforço destina-se a algo muito efêmero. Outros querem ter o menor telefone celular só porque o amigo tem um. Será que é preciso mesmo trocar de aparelho só porque existe um mais moderno?

O Midas tem chácara ou sítio e não o desfruta porque não tem tempo. Gasta dinheiro inutilmente para manter um imóvel de lazer sem, contudo, aproveitá-lo. O mesmo acontece com a casa de praia, aonde só vai para verificar o estrago causado por ladrões ou pelo temporal. Quando faz uma revolução em sua vida, vende a casa de praia e viaja para um hotel, com todo o conforto que deseja. Troca o imenso apartamento por outro, mais adequado às suas necessidades. Deixa de correr atrás de um grande negócio para passar as férias com os netos.

Muitas pessoas ao seu redor comentarão que ele está decadente, que não tem mais o mesmo interesse pelos negócios nem o mesmo *glamour,* mas ele tem consciência de que sua vida agora está no rumo certo. Aprende a desfrutar cada momento da existência. Substitui os pratos picantes, muito temperados, sinal de um paladar que tem ânsia de adrenalina, por sabores mais sutis.

Quando se deixa conduzir pelas coisas da vida, passa a ter

prazer em observar um luar, sentir a proteção de um abraço, sentar-se à sombra de uma árvore. Mas, principalmente, aprende a saborear o cotidiano. É como aquele arroz com feijão ou o pão com manteiga que comemos todo dia, mas que, a cada vez, ficam mais gostosos. O mesmo acontece com o beijo do marido e da esposa que vivem juntos há cinqüenta anos e o "bom-dia" de todas as manhãs para o filho. Comida caseira temperada com afeto.

Na simplicidade aprendemos que reconhecer um erro não nos diminui, mas nos engrandece, e que as pessoas não existem para nos admirar, mas para compartilhar conosco a beleza da existência.

5

Transformando sua vida

A grande obra-prima

Viver é ser o artista da autocriação.

Jacqueline Small

Você é o criador da maior obra do universo, sua vida. A única pessoa que pode dar a sua forma final é você mesmo. No passado, seus pais o criaram com a ajuda de avós, professores e todo o contexto que foi sua infância. Eles o criaram do jeito deles, e fizeram o melhor que puderam. O ruim é quando você simplesmente mantém o que eles fizeram.

A maioria das pessoas é escrava do passado. Vive como se as situações e soluções do passado se repetissem todos os dias, e não se transforma como deveria. Uma pergunta para pensar:

— Você seria diferente se tivesse tido outros pais ou outra infância?

Provavelmente, você dirá:

— Sim, Roberto, se eu tivesse tido um pai mais compreensivo, seria uma pessoa mais relaxada. Se tivesse tido uma infância mais tranqüila, poderia estar vivendo em paz.

Sabe o que significa essa resposta? Que você é escravo de seu passado e ainda não conseguiu se libertar dele. Está na hora de você ser você! Está na hora de se libertar dos relacionamentos do passado, da infância, da adolescência, da juventude. Você tem de ser você, independentemente de seus pais e de sua infância. Se você não foi amado, procure um jeito de encontrar amor. Se você era inseguro, descubra a coragem dentro de si. Não deixe que o passado defina sua vida!

Aliás, não deixe nem que o presente defina sua vida. Pessoas milionárias podem ficar pobres e pessoas pobres podem virar milionárias. Você pode estar vivendo um grande amor, acomodar-se e ficar sozinho. O presente não decide sua vida. O que decide sua vida é seu comprometimento com seus projetos de vida.

Neste momento, você pode estar abrindo mão de muitos de seus sonhos. E a grande pergunta é: "Quais desses sonhos farão falta?"

Boa parte das pessoas vive abrindo mão de sonhos. Quer ver se isso está acontecendo com você? Faça uma lista dos sonhos de sua juventude e escreva todos num papel. Agora quero que você analise essa lista. Quais desses sonhos efetivamente estão fazendo falta para você? Depois que tiver a resposta, corra atrás desses sonhos porque certamente são eles que darão significado à sua vida.

Talvez um de seus maiores sonhos tenha sido viver um casamento gratificante, um relacionamento em que os dois pudessem crescer, mas hoje você está sozinho. O que é preciso fazer para que daqui a vinte anos você não se arrependa, de novo, de ter deixado esse sonho para trás?

Muita gente se orgulha de sua capacidade de abrir uma empresa ou escrever um poema, mas se esquece de criar a si própria com o mesmo cuidado que coloca em suas metas. São pais que querem que os filhos realizem projetos que eles não conseguiram e que não percebem que a única pessoa que realmente podemos criar somos nós mesmos. Você é a pessoa que você cria... Se não está gostando do resultado, mude!

A criação de si próprio é o melhor combustível de sua evolução. É a melhor vacina contra a acomodação.

Seu crescimento lhe dará energia para continuar a percorrer o caminho e ser o grande artista da sua vida. Cada trabalho do artista fornece motivação para seu aprimoramento.

Criando seu futuro

Somos o que repetidamente fazemos.
A excelência, portanto, não é um feito, mas um hábito.

Aristóteles

Os caminhos existem, mas não basta apenas conhecê-los: um dia você terá de percorrê-los. Agora que você conheceu melhor os três tipos de personalidades infelizes, talvez se sinta meio confuso, achando que tem um pouco de cada um deles. É verdade. Todos temos dentro de nós um pouco de Midas, Dâmocles e Sísifo. Porque, de uma forma ou de outra, nos faltou um tanto de amor, fé e força.

Geralmente, uma das três características sobressai mais do que as outras. Mas também podem aparecer juntas, igualmente, na personalidade das pessoas. O Midas profissional é um Sísifo no amor e um Dâmocles com os filhos. Nesse caso, fique consciente do momento em que está trocando a fantasia para não deixar que esse personagem decida por você. Porém, se descobrir qual deles exerce mais influência sobre sua vida, mais fácil será libertar-se.

Converse com seus amigos sobre seu personagem. Pergunte aos parentes como aconteceu a construção das características desse personagem na sua infância. Quais situações levaram você a desenvolver o isolamento do rei Midas, o medo de Dâmocles ou as frustrações de Sísifo? Compreenda que esse padrão de comportamento foi desenvolvido há muito tempo. Depois, perceba quais são os mecanismos que se repetem e que dão força a seu personagem atual.

Descubra como você alimenta diariamente esse personagem. Imagine uma conversa com ele, ouça seus conselhos, entenda suas dores e procure conhecê-lo melhor. Essa análise o ajudará a se compreender e a entender sua vida de uma forma mais profunda. Então, faça planos para abandonar esse personagem e poder ser intensamente você mesmo.

Lembre-se de que você é o chocolate, não a embalagem. Talvez a embalagem seja muito bonita, mas não tem gosto. Seu sabor, ao contrário, está na essência. Converse com as pessoas que o amam, peça-lhes ajuda para que, cada vez mais, você possa se desprender do velho e assumir um novo perfil.

Mas não fique preocupado, tenso. Não pense em seu personagem como se ele fosse uma doença grave, incurável. Analise-se, mude aos poucos, elabore as situações. Até que um dia acontece uma surpresa, e você percebe que não sente mais nenhuma atração pelo personagem do passado. Você se conscientiza, então, de que é o dono da sua vida...

Mudanças

Você é a pessoa que escolhe ser.
Frank Natale

Fazemos as mesmas coisas sempre da mesma forma porque fomos treinados para agir assim. Repetimos o mesmo comportamento a vida inteira porque foi a maneira como aprendemos e treinamos. Acabamos nos tornando escravos da rotina e, quando somos solicitados a mudar, argumentamos: "Sou assim desde criança, é o meu jeito de ser e não vou mudar".

A grande verdade é que você é a pessoa que escolhe ser. Todos os dias você decide se continua do jeito que é ou muda. A grande glória do ser humano é poder participar de sua autocriação.

Quando você nasceu, Deus não rogou uma praga para você ser tímido, distraído ou confuso. Ele lhe proporcionou todas as ferramentas para você completar Sua criação.

Perguntado sobre como era criar uma obra de arte, Michelangelo respondeu:

— Dentro da pedra já existe uma obra de arte. Eu apenas tiro o excesso de mármore!

Dentro de você já existe uma linda obra de arte, a mais bela do universo. Seu grande desafio é retirar o excesso de mármore e completá-la. Nós somos os artistas da nossa criação!

Muitos costumam se desculpar dizendo que são dessa forma devido à influência genética, psicológica, social ou cultural. Mas essa influência não é inevitável nem imutável. Na verdade, o ser humano é livre para superar qualquer influência. Basta encontrar o caminho e decidir mudar.

Os animais, como toda a natureza, nos ensinam muito. Cada pessoa tem preferência por um bicho. Eu gosto de besouro. Sabe por quê? O besouro, pelas leis da aerodinâmica, não teria condições de voar. Mas, como ele não conhece essas leis, simplesmente bate as asas e voa até onde quiser.

Perguntaram a Oscar Schmidt qual era seu ídolo no basquete, *Magic* Johnson ou Michael Jordan. Ele respondeu que era Larry Bird.

— E por que essa admiração por Larry Bird?

— Os outros já nasceram talentosos, com corpos que favoreciam o sucesso no basquete. Mas Larry Bird era desengonçado, não sabia saltar nem arremessar. Tudo nele foi construído com muita dedicação.

O processo da autocriação nasce dentro da gente. Talvez já lhe tenham dito que você não tem nenhum talento para números. Pode até ser verdade. Mas isso não significa que não possa trabalhar com números nem que nunca consiga lidar bem com eles. Tenho visto muitas pessoas talentosas agirem com displicência, sem perseverança, parando no meio do caminho e fracassando. Mas nunca vi alguém realmente dedicado fracassar.

Mais que tudo, viver esse personagem é uma questão de hábito. São necessários longos anos de treinamento para desempenhar bem um Sísifo, Dâmocles ou Midas. E, quando o ator vive um personagem durante muito tempo, acaba acreditando em sua representação. A mudança começa quando você se dá conta de que é muito mais do que tem vivido, cria coragem para abandonar os trajes do mito e ousa enfrentar o desafio da transformação.

A coragem de mudar

> *Quando um guerreiro erra, em vez de reclamar do alvo deve procurar o erro em si mesmo e melhorar sua pontaria para poder evoluir.*
>
> *Provérbio árabe*

Precisamos perceber que, se estivermos na estrada errada, devemos parar e procurar a certa. Nunca vamos chegar a nosso verdadeiro destino se continuarmos a seguir o caminho errado. Se você está em São Paulo e quer ir ao Rio de Janeiro, mas toma a estrada para Porto Alegre, nunca chegará ao destino desejado.

É o Sísifo que procura preencher a falta de afeto com aventuras sexuais. Em vez de perceber que está no caminho errado, credita seu vazio à pouca quantidade de relacionamentos. "Sou infeliz porque não conquistei ainda o número de parceiras suficiente", pensa. Mergulha nessa idéia sem entender que essa estrada não o levará à felicidade.

Da mesma forma, ilude-se Midas, que se refugia no dinheiro para esconder sua insegurança, pensa que seu problema é não ser suficientemente milionário para viver de forma mais descontraída. Sai, então, em busca de mais dinheiro, alimentando o círculo vicioso.

E é o Dâmocles que cerca sua casa de segurança, sem perceber que o medo habita seu coração e que essa insegurança não existe grade que resolva. A única segurança eficaz nasce do nosso coração, e não fora dele.

Quase todo mundo já teve, alguma vez, um forte desejo de comer "alguma coisa salgada". Esse sinal indica uma necessidade física do organismo que tem de ser satisfeita. Se você precisa de comida salgada, não adianta comer doce porque continuará sem se saciar.

Você persegue tantas metas, luta tanto para ser reconhecido e, de repente, percebe que tem saudade de você mesmo. Mas saiba que aquele adolescente cheio de sonhos ainda vive! Muitas das suas angústias nascem do esquecimento de sua vocação. Afinal, como dizem os chineses, o tempo se vinga de quem não cuida bem dele!

> *Mude neste exato momento. Corra atrás de sua felicidade. Retome o caminho de seu coração. Você pode ter a verdade que quiser, desde que ela o conduza à felicidade!*

Se a conseqüência de sua crença não for sua realização, procure mudá-la. O que precisamos saber e fazer para perceber que estamos no caminho errado? Olhar os sinais à beira da estrada. São eles que nos avisam se estamos ou não na direção certa.

É o momento de parar a correria quando:

- Marido ou esposa não sentem mais prazer em estar juntos.
- As pessoas mudam o tom da conversa quando você se aproxima.
- A angústia chega domingo à noite.
- Não existe ânimo para se levantar da cama e iniciar um novo dia...

Quando falta o essencial, é hora de fechar para balanço. Não podemos deixar de ver os sinais na beira da estrada sob o risco de perder nossa vida trilhando caminhos errados.

Mesmo notando que há algo errado na viagem, a maioria se comporta como míope: em vez de enxergar os sinais que a vida emite todos os dias, enxerga só o que quer. Quando seguimos por um caminho errado, o melhor a fazer é ter a humildade de perceber o erro, voltar atrás e procurar nossa verdade, embora o que normalmente aconteça seja bem diferente. As pessoas não admitem que estão erradas e usam uma série de argumentos para provar que têm razão; assim, continuam caminhando longe de suas vocações. Dessa forma, perdem contato com sua alma, pois estão muito mais ligadas às desculpas que precisam arranjar para os outros e para si mesmas do que às verdades de seu coração. A dificuldade de assumir as perdas do passado impede-as de aproveitar a vida.

Compartilhar

Muitas pessoas vivem silenciosamente situações desconfortáveis. Acreditam que o sofrimento é uma maldição contra a qual nada podem fazer. Mulheres que fingem prazer sexual para não magoar o marido. Trabalhadores que não ousam pedir transferência por temer a reação do chefe. Maridos que não jogam bola com a turma do trabalho com receio de chatear a mulher. Essas pessoas não percebem que uma conversa franca e objetiva pode mudar o rumo de suas vidas.

Um casal de velhinhos apaixonados, casados há cinqüenta anos, foi comprar dois jazigos no cemitério, um ao lado do outro. Depois de fechar o negócio, o velhinho disse:

— Querida, quando eu morrer, quero ser enterrado do lado esquerdo.

Surpresa, ela respondeu:

— Está bem. Se você morrer antes, vou pedir para que o enterrem do lado esquerdo. Mas estou curiosa para saber por que você quer ser enterrado do lado esquerdo se a vida toda dormiu do lado direito da cama. Por acaso teria preferido dormir do outro lado?

Ele a olhou com ternura e afirmou:

— É verdade, eu sempre quis dormir do lado esquerdo da cama.

Espantada, ela perguntou:

— E por que nunca disse? Teria sido tão simples trocar de lado...

As mudanças ficam mais fáceis quando o que se passa dentro de você é explicado.

O outro precisa ter a oportunidade de conhecer suas preferências. Do contrário, pode simplesmente estar dando o que acha que você gostaria de receber. Sua caminhada pode ser facilitada com a ajuda das pessoas queridas.

Separações

Boa parte das pessoas com as quais você se relaciona está a seu lado porque aderiu ao seu comportamento mais Midas, mais Dâmocles ou mais Sísifo. Sua mudança representará para essas pessoas um convite à evolução, mas suas reações podem ser radicalmente diferentes.

Algumas vão pegar carona em suas mudanças e viver de forma mais plena. Outras, infelizmente, tentarão desqualificar seu crescimento e, como caranguejos, puxar você de volta para o passado.

Quando era criança, eu adorava comer caranguejos. Saía para fisgá-los com meu pai e queria sempre levar duas latas grandes para trazê-los. Um dia, meu pai disse que uma lata seria suficiente, e eu respondi que eles se empilhariam e fugiriam. Com seu jeito brincalhão, meu pai contestou:

— Fique tranqüilo, filho. Um caranguejo nunca deixa o outro escapar.

Isso quer dizer que amigos de verdade sempre apóiam as suas mudanças, mas os amigos caranguejos são um peso na sua evolução.

Os ex-Sísifos, quando conseguem a independência financeira e querem ter vida própria, podem receber um ataque fulminante de culpa dos pais e se tornar inseguros.

Os ex-Midas, quando começam a se humanizar e simplificar suas vidas, podem receber cobranças do parceiro vaidoso, mais interessado em badalações do que em ternura.

Os ex-Dâmocles podem não dar mais ouvidos às previsões catastróficas de seus amigos.

Ainda que temporariamente, crescer provoca certa mudança nas relações, e as pessoas precisam ter coragem para assimilá-la. A mãe que faz faculdade ou trabalha fora, por exemplo, e não pode mais passar o dia inteiro com os filhos não deve se sentir culpada, pois esse sentimento acaba obstruindo seu progresso.

Existem muitas pessoas que desistem de fazer um curso no exterior, uma pós-graduação ou um trabalho extra que pode significar uma promoção só porque se sentem culpadas por deixar o noivo, o marido ou a mãe. Às vezes, o outro nem se opõe ao projeto, até o incentiva. Mas as amarras não as deixam avançar. As separações acontecem, e algumas são mais doloridas, porém a mais trabalhosa é a separação desse personagem de quem você cuidou durante tantos anos.

Como dizer adeus ao Dâmocles que o protegeu por tanto tempo?

Como abandonar o Midas que o ajudou a fazer tantas conquistas?

Como deixar o Sísifo, companheiro de tantas batalhas inglórias?

Simplesmente agradecendo por tudo e partindo. Provavelmente você sentirá uma tristeza profunda, mas não precisa mais de um porta-voz. De agora em diante, quem quiser falar com você não precisará mais de telefonista. Falará diretamente com seu coração.

6
As verdades sobre as pessoas que a gente esquece

O sofrimento das pessoas acontece de maneira muito repetitiva, monótona. Sempre os mesmos problemas, as mesmas reclamações, as mesmas histórias.

O ser humano saudável é infinitamente criativo, mas quando fica neurótico torna-se excessivamente rígido.

Quando visito as empresas para as quais presto assessoria, espanto-me com a ignorância das pessoas a respeito do ser humano. Acostumaram-se a se relacionar com máquinas e esperam o mesmo tipo de reação dos seres humanos. O resultado é o pior possível: os líderes sentem-se abandonados em seus projetos; os funcionários desistem de implantar novas soluções porque não têm motivação; o pessoal da produção sente-se menos valorizado do que as máquinas.

As torres de Babel modernas estão dentro das empresas. Cada qual fala uma língua diferente, age isoladamente, faz do companheiro um adversário ou, pior ainda, um extraterrestre que se expressa num idioma incompreensível.

Mas existem verdades muito simples a respeito das pessoas que são portas de entrada da criação de relacionamentos saudáveis. Há quem tenha consciência dessas verdades, saiba que elas existem e que representam a essência do ser humano.

Vamos conhecer essas verdades básicas, um eficiente código de acesso à alma dos seres humanos:

Ninguém é perfeito

Todos nós sabemos que nenhum ser humano é perfeito.

Os pais não são perfeitos.

O chefe não é perfeito.

Os empregados não são perfeitos.

Os clientes não são perfeitos.

Os fornecedores não são perfeitos.

O cônjuge está longe do ideal de perfeição.

Os filhos também não são perfeitos.

E, principalmente, nós também não somos perfeitos.

Todo mundo sabe disso. Então, por que queremos encontrar no outro a perfeição? Estamos fazendo uma viagem de aprimoramento, e a imperfeição faz parte desse processo evolutivo. Por mais virtudes que alguém tenha, cometerá, em algum momento da vida, pequenos deslizes.

As pessoas criam mitos para depois se decepcionar com eles.

Quando você começa a trabalhar em uma nova empresa, o primeiro impulso é achar o chefe o máximo, um indivíduo especial, cheio de qualidades e sem nenhum defeito. Embora você já saiba que não existem pessoas perfeitas, insiste em atribuir a ele uma aura de perfeição, como se fosse um semideus. Em determinado momento, porém, esse chefe demonstra ter falhas, e essa revelação inesperada faz com que você mude completamente de opinião:

passa a desqualificá-lo, como se ele tivesse sido reprovado num teste de perfeição.

Os meios de comunicação adoram expor as imperfeições dos ídolos, como se esses defeitos anulassem seu valor. A apresentadora Xuxa é admirada e cultuada como uma verdadeira rainha, uma pessoa vitoriosa que saiu de uma vida extremamente simples para o mais absoluto estrelato. A mídia celebra suas conquistas, mas, ao mesmo tempo, procura realçar algum ponto negativo: Xuxa não tem marido. Para quem procura imperfeições, esse detalhe é um prato cheio. "Vejam, ela não é perfeita!"

Vivemos em busca da mulher ou do homem ideal. As pessoas sentem-se muito solitárias, mas quando conhecem um novo companheiro ou companheira criam, ainda que inconscientemente, uma expectativa de perfeição absoluta. Imaginam que ao ficar junto dessa pessoa todos os problemas serão resolvidos.

Alguns meses juntos às vezes são suficientes para se decepcionar. Uma relação jamais é perfeita, pois sempre existem arestas a ser aparadas e aspectos a ser desenvolvidos. Nessa evolução a dois é que reside uma das maiores riquezas do casamento.

A mesma expectativa perfeccionista acompanha os pais, que costumam colocar o filho recém-nascido num pedestal de perfeição. Mas, à medida que ele cresce, o pai começa a perceber que dentro da personalidade da criança há focos de imperfeição. Ela tem falhas disciplinares, de concentração e nos esportes.

Muitos pais, então, entram em desespero porque concluem que não são capazes de criar um ser perfeito. Autocriticam-se terrivelmente e começam a culpar o filho. Buscam ajuda de todo tipo de profissional: professor, terapeuta, fisioterapeuta. Querem a tão desejada perfeição. Não se dão conta de que a grande beleza do amor está em nossa capacidade de amar seres imperfeitos, a caminho da perfeição durante sua viagem pelo planeta.

As pessoas são únicas: ninguém é igual a ninguém

Cada ser humano tem suas peculiaridades. Isso é muito fácil de perceber, mas certamente difícil de aceitar. Principalmente nos relacionamentos familiares.

Nossos filhos têm a chama do divino dentro de si, mas cada um a mantém acesa de determinada maneira, de acordo com sua própria beleza, capacidade de aprendizado e demais características pessoais. No entanto, a tendência dos pais é supervalorizar um dos filhos em função da semelhança com eles próprios ou porque querem se realizar através dele.

> *Certamente, se a padronização fosse possível, seria mais fácil o relacionamento entre as pessoas, mas também mais pobre, porque a riqueza nasce da diversidade.*

Cada um tem sua beleza própria. Às vezes, um pai empresário tem maior facilidade de se relacionar com o filho que gosta mais de negócios. O oposto ocorre com o filho que demonstra especial talento para as artes quando o pai não tem nenhum vínculo com essa área.

Geralmente, procuramos enquadrar os outros em definições compartimentadas, estanques, fazendo afirmações como:

"Fulano é inteligente".

"Sicrano é burro".

"Beltrano é trabalhador".

"Fulana é preguiçosa".

Essa atitude põe a perder a beleza e a riqueza do relacionamento entre as pessoas porque não se consegue admirar o outro em sua plenitude. Rótulo é bom para bebidas, alimentos, roupas, coisas. Ele permite identificar e saber o que se está comprando. Mas para pessoas, não!

Quando conversar com seus filhos, funcionários, pais, amigos, lembre-se: eles não são iguais. Se for necessário, estabeleça regras de comportamento, mas procure entendê-los como seres únicos e especiais. Há pessoas para as quais basta dizer uma frase que as coisas funcionam bem. Outras precisam de um tempo maior, de uma abordagem diferente, de um tratamento apropriado.

Quanto mais você entender a individualidade de cada pessoa, melhor será seu relacionamento com ela. Os seres humanos não são como uma floresta de pinheiros, onde todas as árvores são iguais. Na verdade, eles são semelhantes a uma floresta tropical, que tem árvores imensas e pequenas, plantas rasteiras, frutíferas, arbustos e flores.

Tenho certeza de que, entre as árvores, uma não diz para a outra: "Eu sou maior do que você e por isso sou melhor". Nem uma roseira diz para o pinheiro: "Eu mereço mais atenção do que você porque produzo flores maravilhosas". Cada um tem sua beleza, seu charme especial.

E é pela capacidade de perceber essa diferença entre as pessoas que se conhece um bom líder. O verdadeiro líder é o que sabe admirar as diferenças e aproveitar as peculiaridades para obter melhores resultados. Nas empresas, é fundamental formar uma equipe com pessoas que têm diferentes habilidades.

Um time de futebol não pode ser composto só de goleiros ou atacantes. Uma seleção de vôlei não pode ter apenas levantadores. Um time de basquete não pode ter somente pivôs. Então, lembre-se: você é único. Não se compare com os outros, aceite-se, porque você é belo do jeito que é. Só existe um *você* entre bilhões de pessoas no mundo.

As pessoas são como são por suas próprias razões, e não para magoar os outros

Nossa tendência é esperar respostas padronizadas das pessoas, desejando que elas se relacionem conosco da forma como gostaríamos. Se não se comportam segundo nossas expectativas, julgamos que estão agindo daquela maneira para nos magoar, quando, na verdade, esse é apenas o jeito de ser de cada uma.

Existem maridos que adoram bater papo com os amigos depois do trabalho. Essa é sua maneira de relaxar. Chegam mais tarde em casa, mas extremamente felizes, prontos para curtir a família. O problema começa quando a esposa interpreta o papo com os amigos como falta de amor por ela. Se souber compreender essa característica do marido, não verá esse hábito como algo pessoal.

Muitos homens até hoje não entendem por que a esposa quer trabalhar fora, mesmo sem precisar de dinheiro. Interpretam esse desejo como displicência com a família ou vontade de ser infiel e se sentem magoados. Não percebem que a esposa quer apenas realizar seus talentos, o que não tem a menor relação com falta de amor por eles.

> *O amor de um casal não deveria anular a individualidade de cada parceiro. Portanto, respeite o jeito de ser dos outros e pare de acreditar que age por maldade quem faz algo diferente do que você gostaria.*

Muitas vezes, quando o outro não nos dá aquilo que desejamos, e da maneira que queremos, temos a sensação de que fomos traídos. Há também quem se machuque quando ama por não perceber a verdadeira essência do outro. Diferenças não significam divergências, mas simplesmente uma maneira de ser e ver a vida. Não espere que uma laranjeira dê pêssegos. Isso nunca vai acontecer, não porque a laranjeira queira magoá-lo, mas porque essa não é a vocação dela.

Você pode me dizer: "Ah, Roberto, mas eu não quero viver com a laranjeira!" E tem toda a razão. Respeite sua possibilidade de escolha. Aliás, aprenda a escolher alguém que se sinta feliz por estar com você pelo que você é. Mas, por outro lado, desenvolva também sua capacidade de aceitar o outro com seu jeito de ser.

As pessoas acreditam e vivem baseadas em suas verdades

Cada um tem sua história, crenças e pensamentos que estão diretamente ligados à sua criação. As experiências vividas na infância, os modelos familiares, os comportamentos adotados e os valores arraigados constituem a essência de uma pessoa. Muitos sofrem desnecessariamente por querer mudar os outros de acordo com suas crenças. Esquecem quão profundamente essas verdades estão estruturadas.

Em vez de querer mudar o outro, empregue sua energia para compreender sua própria maneira de ser. O outro se sentirá mais valorizado e então poderá também se abrir para a mudança. O passado pode ser transformado quando acreditamos em nossa capacidade de criar o futuro.

Por mais que uma pessoa deseje mudar, continuará sofrendo influências de sua verdade original. E você poderá ter três atitudes em relação à maneira de pensar do outro: compreendê-lo e buscar crescer juntos, insistir em mudá-lo para que fique como você quer ou desistir dessa relação e partir para outra.

Muitos terapeutas, empresários e religiosos sofrem por querer impor suas verdades sem tentar compreender as pessoas. Dentro das organizações, projetos baseados em "novas" verdades, impostas sobre as crenças essenciais das pessoas, fracassam justamente porque os colaboradores recusam qualquer mudança que não considere sua visão pessoal. Num primeiro momento, podem até agir com cordialidade e simpatia, mas no instante seguinte simplesmente vão atuar de acordo com suas convicções. As pessoas se desenvolvem muito mais conhecendo suas próprias verdades do que sendo catequizadas.

Ao observar os relacionamentos nas empresas é comum depararmos com processos de convencimento que não levam em conta as verdades dos colaboradores. O processo de transformação nasce dentro da própria pessoa, enquanto a catequização é um trabalho de aliciamento que tende a ser superficial porque estimula a resistência do outro. As mudanças ocorrem com maior facilidade quando a auto-estima está mais fortalecida.

As pessoas mudam quando se comprometem, e não porque alguém as critica

As pessoas não se transformam quando querem nem porque precisam. Mudam somente quando se comprometem com as mudanças, mas isso exige como primeira condição o desejo de transformação. Porém, ainda mais importante é o compromisso com a mudança. Um alcoólatra não deixará de sê-lo porque a bebida está destruindo seu emprego, seu casamento, sua família. Ele só vai mudar no dia em que se comprometer consigo mesmo.

O processo de mudança é complexo e, para que ocorra, é preciso que o indivíduo tome consciência dessa necessidade e que tenha força interior suficiente para abandonar velhos hábitos e enfrentar o medo do desconhecido.

Não adianta querer assumir a responsabilidade pela mudança do outro. Nos relacionamentos, o que normalmente acontece é alguém tomar uma decisão sobre a importância de o outro mudar, enquanto o maior interessado se mantém alienado do processo.

As brigas entre casais geralmente acontecem porque um dos cônjuges só se sentirá amado quando o outro mudar. O companheiro se sente desvalorizado e desprezado porque luta para o outro mudar e não entende que isso só acontecerá quando for encarado como compromisso pessoal. Geralmente, uma pessoa infeliz, em vez de se transformar, acaba cuidando de outra pessoa infeliz e instalando nela a fonte de suas frustrações. Crie sua felicidade desfazendo a dependência que procura desenvolver nos outros. Se você for feliz, pelo menos o outro terá um modelo para se inspirar quando resolver mudar.

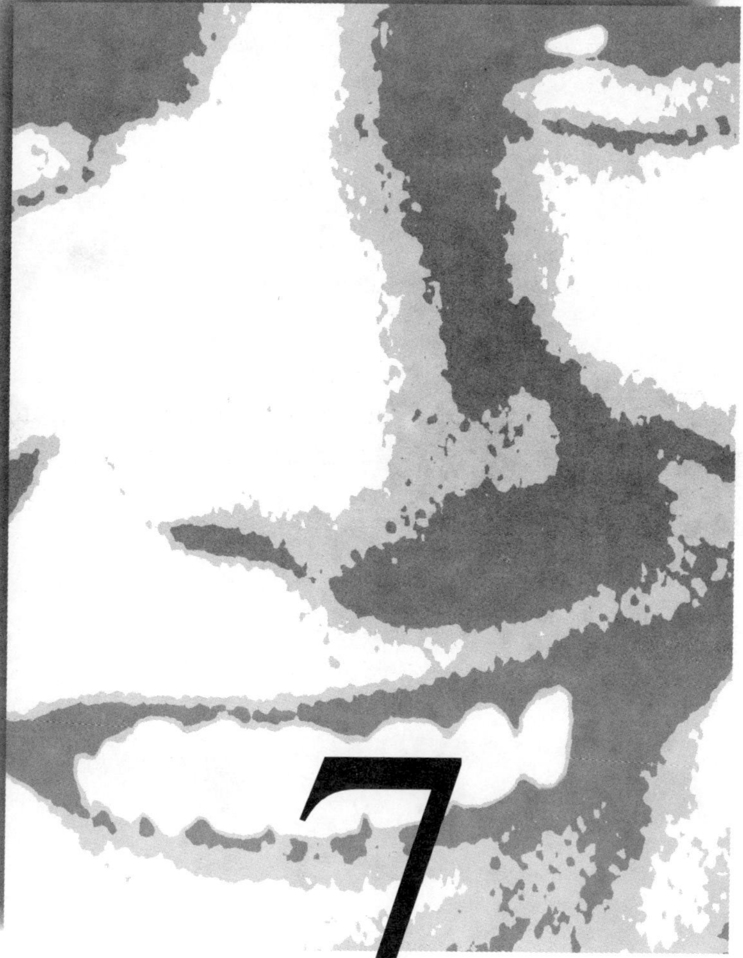

7

As verdades sobre a vida que a gente esquece

A vida é a única verdade que existe. Não existe outro Deus além dela. Então, permita-se ser dominado pela vida em todas as suas formas, cores e dimensões, por todo o arco-íris e as notas musicais. Aprenda a lidar com isso de uma maneira serena. A receita é simples: trata-se tão-somente de se entregar. Não apresse o rio, deixe que ele o leve até o oceano. Relaxe, não fique tenso e não crie nenhuma divisão entre matéria e espírito. A existência é uma só, matéria e espírito são simplesmente lados da mesma moeda. Descanse e siga com o rio.

Seja um jogador, e não um homem de negócios. Assim você conhecerá muito mais a respeito de Deus, porque o jogador concorda em arriscar. Ele se permite arriscar tudo na mesa da vida. Não fique sóbrio, os sóbrios permanecem mortos. Embriague-se, beba o vinho da existência. Ele contém muita poesia, muito amor e muito suco. Você poderá desabrochar a qualquer momento.

Você nasceu e certamente vai morrer algum dia. Mas algo já existia em você antes de seu nascimento e algo de você vai permanecer após sua morte. E esse algo chama-se vida. A vida eterna.

A vida é como uma escola. O que a gente aprende nela tem de ser aplicado para não ser esquecido. Há alunos que aprendem rapidamente, tiram o máximo proveito das lições e conseguem o diploma de sábio. Outros esquecem os ensinamentos e repetem continuamente situações angustiantes. A vida, como a natureza, tem verdades muito simples que devem ser respeitadas. A maioria delas já conhecemos, às vezes até intuitivamente.

A vida é cíclica

O mundo moderno nos convida à correria e, em função disso, não temos tempo de observar a natureza, nossa grande mestra. Quem olha o mar e percebe as marés, as ondas e os ventos pode verificar como tudo tem seu ciclo. O dia e a noite, as estações do ano, o sol e a chuva, a vida e a morte. O ser humano, com sua sede de poder, procura imobilizar a vida e torná-la certinha, rígida como uma estátua. Mas a vida é dinâmica.

Hoje estou bem, amanhã posso não estar. Em certo momento, a vida está tranqüila como um vôo de ultraleve e, no momento seguinte, poderá estar envolta em nuvens de dificuldades. Mais um pouco, as nuvens vão embora e a claridade volta a iluminar.

A vida flui como as ondas do mar e, como um surfista, precisamos aprender a aproveitar suas subidas e descidas, mergulhar e retornar à tona, manter-nos na superfície de acordo com o movimento da água.

> *Quando resolvemos eliminar de nossas vidas o fluxo das ondas e permanecer apenas como observadores passivos, anulamos nossa força vital.*

A rigidez é característica dos cadáveres e das estátuas. Quando uma pessoa se acomoda, a rigidez torna-se inevitável. Ela pode fazer barulho, chamar a atenção dos outros, mostrar que seus problemas são dignos de preocupação, mas, no fundo, já morreu e está apenas esperando pelo dia do enterro. A vida é uma interminável aventura.

É uma nova relação amorosa que aparece, um projeto desafiador, um trabalho inédito, uma viagem inesperada, o nascimento de um filho, um novo amigo na vizinhança, a morte de um parente, uma notícia ruim na televisão, uma noite solitária... As ondas intercalam-se entre momentos alegres e tristes, tranqüilos e agitados, soltos e presos, como na natureza.

Quando estamos embaixo da onda, sofremos, sentimos a dor da perda. Mas o fogo do sofrimento nos purifica e ensina lições que não devemos esquecer. A força que surge dessa experiência interior nos dá impulso para subir e novamente voltar à superfície e saborear o vento, o sol e a luz.

Algumas pessoas têm dificuldade de viver na parte superior da onda, sentem medo da alegria e ficam remoendo problemas. Não aprenderam a celebrar cada acontecimento da vida. Imaginam que viver é somente sofrer e desperdiçam as dádivas da existência. Como surfistas da vida, precisamos ter consciência de que as dificuldades acontecerão sempre, mas, se nos deixarmos levar pelo movimento natural das ondas, os problemas nos encaminharão para as soluções. Sabedoria é saber surfar nas ondas da vida.

A vida traz dentro de si grandes turbulências

A natureza apresenta ondas maiores à medida que você ousa se aventurar mais, e o bom surfista sabe deslizar por todas elas. Na vida também é assim. Nossas ambições determinam o tamanho das ondas que temos de enfrentar. A ambições maiores correspondem ondas maiores.

A única maneira de não correr riscos é ficar na praia. A vida vale a pena quando se tem coragem de explorar espaços onde grandes ondas se formam.

Na vida afetiva também é assim. Primeiro namoramos, depois noivamos e casamos. As dificuldades aumentam, depois vêm os filhos e surgem ondas maiores. Alternando altos e baixos, chegaremos um dia à praia, olharemos para trás e veremos que nossos filhos já estão surfando nas ondas da vida. Nós já podemos esticar a esteira e aproveitar o sol enquanto nos preparamos para outras aventuras.

A vida pode estar tranqüila para o indivíduo que durante anos foi um bom vendedor. Mas, quando ele for promovido a gerente de vendas, terá de enfrentar ondas maiores. Se esse profissional aceitar o desafio de ser gerente em uma nova empresa, turbulências ainda maiores surgirão. Crescer significa aceitar os riscos das novas aventuras.

Pessoas que se queixam dos problemas não entenderam a essência da vida e, por isso, perdem muito. Tudo do que você reclama Deus tira. Quem se satisfaz em estudar apenas até o primeiro grau certamente deslizará em ondas tranqüilas. Mas quem almeja ampliar horizontes, estudar mais, conhecer mais, enfrentará as turbulências do mar.

Minha mãe costumava dizer: "Não consigo entender como tanta gente suporta levar uma vida cujo maior problema é o ponto de cozimento do macarrão!" Viver é aprender a desfrutar novos problemas, envelhecer significa fugir deles. Viver é ouvir a família, surpresa, perguntar: "Vovó, você vai fazer outra faculdade, aos 60 anos?! Vovô, o senhor vai viajar de novo?"

A motivação para superar limites faz parte da vida. Sempre haverá atletas para superar recordes. Sempre existirão pioneiros na ciência. Sempre aparecerão corajosos desbravadores. É inerente ao ser humano o desejo de expandir limites. Mas, para isso, é preciso ter em mente que as dificuldades fazem parte do jogo. Aprendizado e paciência andam de mãos dadas.

Sua vida é conseqüência do que você é

Seu casamento é conseqüência de sua maneira de amar.

Sua empresa é resultado de sua capacidade de administrar.

Sua família é reflexo de suas atitudes.

Você é o dono de sua vida e o único responsável pelo que ela lhe devolve. Quanto mais qualidade você investir nela, melhor será o retorno. Quanto mais energia você puser nela, mais segurança ela lhe dará.

Um dos segredos da felicidade é saber criar condições para que a vida dependa de nós.

Quanto mais seguro você se sentir sobre seu processo de mudança, menos dependerá da decisão alheia, menos se sentirá prisioneiro de alguém ou de alguma coisa. Toda mudança tem início dentro de você!

Há coisas na vida que devem ser questionadas; outras, simplesmente aceitas

A vida exige que estejamos sempre questionando. Não devemos aceitar tudo de olhos fechados. Precisamos perguntar, pesquisar, conhecer, aprofundar. Mas há momentos e situações que devem, única e tão-somente, ser aceitos. E a regra não se aplica só às grandes catástrofes que fogem ao nosso domínio, mas principalmente aos pequenos percalços, que não há força humana capaz de evitar.

Se ocorre uma inundação na cidade, não adianta esbravejar ao volante nem xingar o motorista ao lado, pois o congestionamento não vai diluir-se na chuva. Perdeu o compromisso por ter ficado ilhado? Faz parte da vida. Desespero não resolve. É lógico que, se em sua vida estão acontecendo muitos congestionamentos e inundações, é preciso encontrar um jeito de resolver isso.

Se, de repente, você descobrir que um ente querido está com câncer, não resolverá nada ficar revoltado, deprimido nem pensar em suicídio. A solução é enfrentar a realidade, procurar ajudar, estar presente, aproveitar ao máximo os momentos juntos e estar preparado para o que der e vier.

Há pessoas que ficam órfãs muito cedo e sabem lidar com esse fato, aceitam a dor e convivem bem com essa experiência. Já outras se desesperam, sentem-se vítimas a vida inteira, lamentam as perdas, permanecem de luto. Atitudes assim não constroem nada, muito menos a felicidade.

Outros querem resolver tudo na força bruta. Nem tudo na vida é prego para ser batido com martelo. Certamente há ocasiões em que são necessários pulso firme, liderança forte, decisão corajosa. Mas, na maioria das vezes, não é assim que a vida transcorre.

Quem já acorda dando ordens, quem chega ao trabalho esmurrando a mesa, quem trata colaboradores com rispidez, acreditando que assim se impõe como líder, só arruma inimigos e cria tensão a seu redor.

Como naquele poema: "Senhor, dai-me a força necessária para modificar as coisas que posso; sabedoria para aceitar as que não posso mudar e discernimento para distinguir umas das outras". Precisamos ser firmes como o carvalho e flexíveis como o bambu. Sábio é quem tem, ao mesmo tempo, a firmeza de uma montanha e a fluidez da água. Quando só se tem a firmeza do carvalho, esta se transforma em rigidez. Quando só se tem a flexibilidade do bambu, esta se transforma em inconsistência.

Buda dizia: "Um homem tem de carregar sempre uma chave no bolso esquerdo e um punhado de areia no bolso direito. A chave no bolso esquerdo é para ele saber que é o imperador do universo, que manda na própria vida. E, no bolso direito, o punhado de areia é para lembrá-lo de que ele é tão pequeno quanto um grãozinho. Participamos de um universo tão grande, com tantas energias, que precisamos entender exatamente qual é nossa dimensão neste planeta".

Certa ocasião, eu estava com um mestre, na Índia, que me revelou: "Para você estar bem na vida, todos os dias, é preciso ficar em pé durante cinco minutos, olhar para a grama e observar lá embaixo as formigas andando. Assim você se sentirá mais poderoso, muito maior do que tudo o que existe. Depois você olha para o sol, para a lua e percebe como é pequeno. Somos as duas coisas ao mesmo tempo".

Há pessoas que, quando estão com o filho, sentem-se poderosas, mandam e desmandam. Mas depois, quando estão na empresa, sentem-se inferiorizadas. Temos de perceber nosso poder e compreender quanto somos pequenos e grandes ao mesmo tempo. Esse é o segredo de nos centrarmos na existência.

As dificuldades repetem-se até que se aprenda a lição

Apesar de todas as ilusões a respeito de suas dificuldades, cada um de nós tem, em média, duas ou três grandes fraquezas. É fácil descobrir quais são. É só analisar quais as reclamações que os outros mais fazem a nosso respeito:

"Você trabalha demais!"

"Você é muito crítico!"

"Você é muito fechado!"

"Você não escuta os outros."

As pessoas trocam de terapeuta, brigam com seus amigos, rompem com o namorado, armam conflitos com os filhos sem perceber que todos eles reclamam das mesmas coisas. Quer fazer uma experiência? Escreva num papel as queixas mais comuns a seu respeito não só no plano profissional mas também no afetivo. Comece a perceber qual é a lição que você precisa aprender e o desafio que necessita enfrentar.

Procure buscar dentro de si as razões que o levam a ser assim e os caminhos de sua transformação. Você é o grande responsável pelo que acontece em sua vida.

Não adianta reclamar do azar, da falta de dinheiro e de amor, do governo, da inflação — ou de sua ausência —, da fila no cinema, da antena quebrada da televisão. Motivos para reclamações não faltam, mas na verdade somos nós que mudamos o quadro que queremos para nossas vidas. Basta que aprendamos com os erros anteriores e mudemos nossas atitudes!

Todos os dias, na hora do almoço, um sujeito abria a marmita e dizia, decepcionado: "Sanduíche de atum? Eu odeio sanduíche de atum!", e o jogava na lata do lixo. Depois de algum tempo, um colega de trabalho perguntou: "Por que você não pede para sua esposa fazer um sanduíche diferente, já que não gosta de atum?" Então, ele respondeu: "Mas quem disse que eu tenho esposa, quem disse para você que outra pessoa prepara meu almoço? Sou eu mesmo que preparo meu lanche!"

É você quem faz seu sanduíche de atum. Se você não gosta dele, faça outro! Seja maior do que seus problemas! Use as lições que a vida lhe oferece! Da próxima vez que aquele mesmo problema aparecer à sua frente, surpreenda-o com uma solução criativa, objetiva e eficaz. E divirta-se depois com a antiga aflição que sentia quando se via em situação semelhante. Passar a perna nos problemas não se aprende na escola, em cursos, seminários ou palestras. É algo que se aprende com coração, consciência, sensibilidade e humildade. Não depende de bolsa de estudo, vestibular ou concurso. Depende só de nós mesmos, da nossa disposição de ser felizes.

Sabedoria não se compra nas bancas de jornais. Tampouco dá para fazer assinatura. Mas é algo para ser aprendido. Só que não se aprende a ser sábio com o cérebro, mas sim com o coração.

A ambivalência faz parte da vida

Um lutador violento e muito encrenqueiro chegou à igreja e foi imediatamente recebido pelo pastor:

— Nunca encontrei alguém capaz de me mostrar o céu. O inferno eu sei que é a vida do meu inimigo — disse o homem.

— Não discuto com covardes da sua espécie — respondeu o sacerdote.

O sangue subiu à cabeça do lutador, cuja mente ficou turva de ódio. O pastor, então, interveio:

— Isso é o inferno — disse, sorrindo.

Surpreso com a coragem do sacerdote, o lutador sentiu a ternura de seu olhar e aos poucos foi relaxando. O pastor emendou:

— Isso é o céu — e o convidou a entrar.

O bem e o mal estão dentro de cada um de nós. Quem pensa que é santo viverá sempre cercado de demônios. Sua escolha define não só você mas também o outro. Quando você se sente capaz de julgar alguém, é sempre o juiz, e o outro, o réu. Quando alguém se considerar certo numa discussão, inevitavelmente concluirá que o outro está errado. Enquanto achar que é Deus, o outro será sempre o diabo.

Na verdade, temos o mal e o bem dentro de nós e o que devemos fazer é integrá-los.

Precisamos estar conscientes desse fenômeno e também das conseqüências que ele provoca. Até os marginais têm, dentro deles, luz para fazer o bem. Se tiverem a oportunidade e souberem tocar nesse ponto de suas almas, poderão se transformar e produzir riquezas para si e para os outros.

Cada um de nós carrega consigo o egoísmo, a inveja, o ciúme. Esses sentimentos podem ser utilizados para o bem, como impulso para obter crescimento, ou para o mal, quando os projetamos na outra pessoa. Dentro de cada um de nós existem o positivo e o negativo, que nos tornam seres completos. Ninguém é totalmente certo, ninguém está completamente errado. Todos têm sua parcela de responsabilidade nas situações conflituosas.

Muitas pessoas só vêem o bem dentro de si, apenas flores, nenhuma erva daninha. Têm vergonha do pântano. Dessa forma, desperdiçam e perdem a oportunidade de drená-lo e fazer dele um lindo jardim.

Infinitos caminhos podem levar ao mesmo lugar

Quando eu era criança, meu pai levou-me, certo dia, até um morro da cidade de Santos, onde cresci. Lá de cima pude observar a praia de um lado, o centro da cidade de outro, o bairro onde morávamos e outros lugares muito bonitos. Feliz por estar ali, perguntei: "Pai, por que a gente veio por este caminho?" Ele respondeu: "Simplesmente porque a gente escolheu este caminho". Eu insisti:

"Mas este caminho é melhor do que os outros?" Meu pai explicou: "Para nós, era o melhor caminho. Mas para quem mora no centro da cidade o melhor caminho é o que vem do outro lado".

Aprendi naquele dia que existem diversos caminhos para chegar ao mesmo lugar. Não existe um caminho ideal para todo mundo. Isso depende de onde se está. Por isso sofremos quando pretendemos ser donos da verdade. Achamos que nosso caminho é o único possível, inclusive para as outras pessoas. Não percebemos que cada pessoa vem de um lugar diferente. O caminho que para um é mais curto e agradável para outro não tem lógica, é demorado e cansativo, mas também oferece aprendizado.

Assim acontece com as religiões. Só há uma coisa pior do que acreditar na existência de um único caminho para chegar a Deus: achar que o caminho certo é o seu. Na verdade, budistas, católicos, protestantes, muçulmanos, todos têm sua origem, sua essência, sua verdade. E, para cada um deles, é essa verdade que faz o maior sentido. Quando alguém escolhe seguir um único caminho, sofre muito, atravessa tempestades e trovoadas.

Quando estive em Katmandu, li num jornal a seguinte manchete: "Casal apanhado em flagrante beijando-se na rua foi condenado a seis meses de prisão". No Nepal, considera-se feio duas pessoas se beijarem em público, mas no Brasil essa proibição não tem sentido. Para compreender a lógica das pessoas que vivem no Brasil ou no Nepal é preciso conhecer História, costumes, cultura, mitos e heróis de ambos os países. Um é melhor do que o outro? Não, simplesmente são diferentes. Os caminhos são tão diferentes quanto o número de pessoas que existem no planeta!

8
Sonhos

Viver é a arte de realizar sonhos.

Dentro do coração humano sempre existiu uma força interior que lhe permite sonhar. Ícaro, Júlio Verne, Neil Armstrong são exemplos. O homem tem uma grande capacidade de imaginar e realizar suas maiores obras. Não somente obras que entram para a História, como a primeira nave a pousar na Lua, mas também sonhos simples, porém com a mesma grandeza de um transplante cardíaco. Como ocorre com a mulher que sonha com o filho diplomado, com o advogado que quer fazer justiça, com o médico que deseja curar e aliviar a dor de seu paciente. Ou como os recém-casados, que sonham viver uma vida a dois repleta de amor.

Um sonho

Minha mãe costumava dizer para suas amigas que eu seria médico quando crescesse. Elas ficavam chocadas com sua ambição, pois nessa época morávamos em um bairro muito pobre em São Vicente, cidade do litoral do Estado de São Paulo. As amigas de minha mãe procuravam trazê-la para a realidade:

— Olhe, de onde você veio e de onde nós viemos é impossível sair algum médico. Se o Beto for dono de farmácia, como o pai, já estará muito bom.

Minha mãe respondia com muita confiança:

— Não importa de onde venho nem onde estou. O que vale é aonde eu quero chegar.

Não importa de onde você vem nem como está. O que vai definir sua vida será sua capacidade de realizar seus sonhos!

Corra atrás de seu sonho

Não espere que os outros cumpram a obrigação que é sua. Sonhe, mas não aguarde que os outros realizem seus sonhos. Corra você atrás deles. Faça isso hoje. Felicidade é algo para ser conquistado. Se você quer subir na carreira precisa ter capacidade de lutar pela promoção que deseja. Não é o presidente da empresa que lhe dará a promoção, ele apenas reconhece a sua capacidade.

A vida devolve o que recebe de você, independentemente da posição que ocupe. Você fez por merecê-lo!

Às vezes, as pessoas me perguntam: "Roberto, você acha que posso confiar no meu filho? Você acha que posso confiar nessa empresa? Você acha que posso confiar nesse negócio?" E eu, brincando — afinal, grandes verdades são ditas na "brincadeira" —, respondo: "Não confie nos seus filhos. Não confie nessa empresa. Não confie nesse negócio. Confie em você. Se você for um bom pai, inevitavelmente seus filhos vão ser pessoas muito legais. Se você for um bom executivo, a empresa vai corresponder. Se você for um bom administrador, esse negócio vai dar certo. Confie em você, trabalhe, dedique-se, e os bons resultados virão como conseqüência".

Tadashi, meu massagista, é uma pessoa muito especial. Entre suas grandes vitórias está a maneira como educou seus filhos. Certa vez comentei com ele que gostaria de ter o mesmo sucesso na arte de criar meus meninos. Ele então me respondeu: "Roberto, fique tranqüilo, os filhos crescem olhando as costas dos pais. Seus filhos crescerão seguindo seus passos. Se você viver em paz, eles inevitavelmente seguirão o mesmo rumo".

Andar no caminho certo inevitavelmente leva ao lugar correto. Se você estiver no caminho errado, não adianta correr. Faça seus sonhos dependerem de você. O perdedor vive na esperança de que os outros trabalhem por ele, enquanto hiberna, esperando que o destino decida por ele. Ora, o destino tem muito mais para fazer do que ficar cuidando de você!

Acreditar sempre!

Nunca, nunca, nunca desista!
W. Churchill

Todos nós, na infância, temos sonhos: grandes, médios ou pequenos. Mas, à medida que a vida passa, esses sonhos vão para as prateleiras da vida. Depois para a área de serviço, até chegar ao sótão e ser, então, esquecidos. E os sonhos acabam se tornando vestígios de uma época em que a pessoa acreditava no mundo e em sua capacidade de realização. Enquanto os perdedores se acomodam e pensam que um sonho é muito para eles, os campeões se perguntam o que precisam fazer para realizá-lo.

Nunca pense que uma meta não foi feita para você, mas sim nas virtudes que precisa desenvolver para conseguir atingi-la.

Seus sonhos mantêm aceso o fogo sagrado em seu coração. Eles são a seiva da vida. Nós envelhecemos não porque o tempo passa, mas principalmente porque abandonamos nossos sonhos.

Pessoas de idade avançada, mas com grandes ambições, carregam nos olhos o brilho da juventude, pois suas metas continuam alimentando sua alma.

É triste olhar para alguém com 40 ou 50 anos e observar que

está vivendo à espera da morte. É frustrante ver adolescentes precocemente envelhecidos, pois em seus corações já não carregam mais sonhos. Para essas pessoas, viver é simplesmente completar o dia, completar o mês, completar o ano. E é triste constatar que nosso povo está deixando de sonhar. A maioria procura completar o dia. Não se permite imaginar algo além do que está vivendo.

As metas da alma

Vocação vem de "vocatione", que significa chamado. Dentro de cada um de nós existe um chamado. Viver é realizar esse sopro divino, lembrança de nossa missão aqui, neste planeta. Quando a pessoa realiza um chamado, a vida flui serena e tranqüila. Com muito trabalho, pois isso faz parte do viver, mas sem a angústia da busca eterna.

Quando a pessoa não escuta esse chamado, talvez porque a insegurança ou as pressões dos pais inibem sua força interior, a angústia de não haver encontrado seu caminho torna-se companheira constante.

Uma profissão não é melhor do que outra. Assim como um caminho não é melhor do que outro, mas tem de ser o seu. Cada jeito de viver tem sua beleza, mas é o seu que conta e que vai alimentar sua alma. Não é preciso agradar aos outros; deve-se, sim, abastecer o seu coração. Há metas que as pessoas nunca conseguem cumprir e, muitas vezes, a dificuldade para realizá-las nasce da falta de sentido desse objetivo.

Os sonhos precisam ser seus

Não abrace um sonho qualquer. Vá atrás do seu! Muitos não percebem que realizam os sonhos dos outros. É o caso do pai que quer que o filho tenha determinada profissão e luta nesse sentido, sem se perguntar se essa é, de fato, a vocação dele. Os filhos não nascem para realizar os sonhos dos pais. Nascem para realizar a vocação de suas vidas. Saiba que toda pessoa que se deixa dominar acaba se esvaziando emocionalmente.

Um casamento em que cada cônjuge vive realizando o sonho do outro é parecido com uma prisão. Por isso, muitos casamentos tornam-se, simplesmente, um casal de aves preso em uma gaiola de ouro, com as asas cortadas, mostrando, um ao outro, a própria dor. Cada vez que um dos parceiros sente as asas cortadas, lembra-se do tempo em que voava livre pelo céu, quando homenageava com seu vôo o nascer do sol.

Aprenda a aceitar a liberdade das outras pessoas. Se você quer ser livre, dê e aceite a liberdade dos outros.

A melhor maneira de você aliviar seus ombros das toneladas de peso que tem carregado é deixar as pessoas livres para realizar suas vidas. É muito doloroso ter de carregar os outros nas costas. Aceite a liberdade que eles lhe oferecem.

Os sonhos que fazem bem são os de libertação, de realização. Se outra pessoa tiver sonhos limitadores para você, em vez de se rebelar e brigar, deixe claro que você vai atrás dos seus próprios sonhos e lembre-se: quem ama deseja o bem do outro. Mesmo que o pai queira que o filho faça determinada faculdade, o que de fato mais ele quer é que o filho seja feliz. Depois de algum tempo, quando perceber que o filho está se realizando, construindo sua vida, será o primeiro a aplaudi-lo.

Sonhos grandes

Sonhos pequenos cansam, sonhos grandes motivam. Você pode ser um milionário, estar no auge de sua riqueza, mas, se não tiver sonhos além do cotidiano, sua vida corre o risco de empobrecer. Da mesma forma, você pode ser muito pobre, estar vivendo com muitas dificuldades, mas se tiver a capacidade de imaginar além de seu cotidiano sua vida vai florescer.

Muitas pessoas têm sonhos fracos. Trabalham para ter dinheiro até o final do mês, tomar cerveja no fim de semana ou sair no sábado à noite. São sonhos muito pequenos. É fundamental que tenhamos sonhos grandes, pois nossa vida tem o tamanho dos nossos sonhos.

Quando se tem sonhos grandes, a vida se expande. Sonhos grandes impulsionam, motivam, dão energia.

Muitos têm medo de ser criticados porque são ambiciosos e se envergonham de seus sonhos. Pensam que serão ridicularizados se tiverem um sonho grandioso, arrojado. É comum ouvir pais dizendo para os filhos: "Isso não é para você". Às vezes, a própria família e os amigos acabam fortalecendo essa idéia: "Você não tem capacidade de realizar esse sonho".

Eu participava da convenção de uma empresa, na qual os diretores entregavam um prêmio aos melhores vendedores daquele ano. Ao fazer minha palestra, perguntei quem tinha se imaginado recebendo o prêmio. Quase todos levantaram a mão. Somente um não levantou o braço; curioso, perguntei o motivo. Tranqüilamente, ele me respondeu: "Roberto, eu me visualizei como um diretor que estava entregando o prêmio".

Sonhar alto dá o mesmo trabalho, mas o resultado é melhor. Precisamos criar, dentro do nosso coração, sonhos que valham a pena.

Pague o preço do seu sonho

Sonhar é de graça, mas realizá-lo custa muito.

Provérbio árabe

Quando você tem um grande sonho, precisa ter a capacidade de aceitar o trabalho que esse sonho exige. As pessoas querem sonhar, mas não trabalhar para concretizar seu sonho. Não percebem a beleza desse processo. Existem pessoas que querem ter filhos, mas não o trabalho de acordar à noite para cuidar deles; querem ter o amor, mas não o trabalho de estar sempre reelaborando o relacionamento; querem ter o próprio negócio, mas não assumir o planejamento estratégico da organização.

Quando uma pessoa não está disposta a trabalhar para realizar seu sonho, está abrindo mão dele.

Numa cultura que valoriza o prazer, esquece-se de que superar desafios também dá prazer. Na minha convivência com pessoas de sucesso profissional, percebo que elas têm, inclusive, prazer em organizar as viagens de negócios.

O agricultor tem o prazer de arar a terra, prepará-la para receber a semente, plantar, irrigar, adubar, ver a plantinha nascer, crescer e, finalmente, colher o milho.

Quando as pessoas sentem prazer em realizar sonhos, eles começam a acontecer.

A força para realizar um sonho

Você não tem um sonho sem ter a capacidade de realizá-lo.

Richard Bach

Todas as nossas metas, todos os nossos planos, criam dentro de nós uma força para realizá-los. Talvez o sonho nasça da nossa força interior para realizá-lo.

Enquanto os perdedores julgam que determinado sonho não é para eles, o campeão pergunta-se o que ele precisa aprender para realizá-lo.

Pais frustrados perdem seu tempo mostrando aos filhos a inutilidade de seus sonhos, enquanto os campeões ajudam os filhos a criar força interior para correr atrás de suas metas.

Se você teve o sonho, é sinal de que ele é seu. Procure sua força interior para realizá-lo. Não espere que os outros decidam por você.

Sua vida não muda quando seu chefe muda, quando sua empresa muda, quando seus pais mudam. Sua vida muda quando você muda. Você é o responsável por ela.

Uma empresa estava em situação muito difícil. As vendas iam mal, os trabalhadores estavam desmotivados, os balanços há meses não saíam do vermelho. Era preciso fazer algo para reverter o caos, mas ninguém queria assumir nada. Pelo contrário, o pessoal apenas reclamava que as coisas andavam ruins e que não havia perspectivas de progresso na empresa. Eles achavam que alguém devia tomar a iniciativa de reverter aquele processo.

Um dia, quando os funcionários chegaram para trabalhar, encontraram na portaria um cartaz enorme no qual estava escrito: "Faleceu ontem a pessoa que impedia seu crescimento na empresa. Você está convidado para o velório na quadra de esportes". No início, todos se entristeceram com a morte de alguém, mas, depois de algum tempo, ficaram curiosos para saber quem estava bloqueando seu crescimento na empresa.

A agitação na quadra de esportes era tão grande que foi preciso chamar os seguranças para organizar a fila do velório. Conforme as pessoas iam se aproximando do caixão, a excitação aumentava: "Quem será que estava atrapalhando meu progresso? Ainda bem que esse infeliz morreu!"

Um a um, os funcionários, agitados, aproximavam-se do

caixão, olhavam o defunto e engoliam em seco. Ficavam no mais absoluto silêncio, como se tivessem sido atingidos no fundo da alma.

Pois bem. Certamente você já adivinhou que no visor do caixão havia um espelho...

Só existe uma pessoa capaz de limitar seu crescimento: você mesmo!

Você é a única pessoa que pode fazer a revolução de sua vida, você é a única pessoa que pode prejudicar sua vida e você é a única pessoa que pode ajudar a si mesmo.

É dentro do seu coração que você vai encontrar a energia para ser o artista da sua criação. O sol da vida está dentro de você. O resto são desculpas apenas.

Lambuze-se de vida

Não coma a vida com garfo e faca, lambuze-se.

Muita gente guarda a vida para o futuro. Mesmo que a vida esteja na geladeira, se você não a viver, ela se deteriorá. É por isso que tantas pessoas se sentem emboloradas na meia-idade. Elas guardaram a vida, não se entregaram ao amor, ao trabalho, não ousaram, não foram em frente. Depois chega um momento em que se conscientizam: "Puxa, passei fome para guardar essas batatas e elas apodreceram".

Hoje em dia as pessoas orientam suas vidas baseadas em idéias e métodos que já não têm relação com a própria existência. Elas não se alimentam corretamente porque sentem medo de tudo: de engordar, de emagrecer, dos agrotóxicos, da contaminação, dos malefícios para essa ou aquela doença. Quando se sentam à mesa, afirmam que precisam comer carne porque contém proteína, tomar leite porque contém cálcio. Elas precisam comer isso ou aquilo. Quase ninguém come sem culpa. Todo o mundo se alimenta seguindo alguma moda. O alimento deixou de ser comida e se transformou em medicamento.

Solte sua alma, seja você. Tenha consciência de que, se estiver em paz consigo mesmo, você comerá carne quando tiver vontade e não porque alguém disse que é bom ou ruim. Você não come açúcar porque está satisfeito e não porque ele é tido como nocivo à saúde.

Mergulhe totalmente na vida. Chupe a laranja e tire todo o caldo. Quando a morte chegar encontrará somente o bagaço. Nada do que você deveria desfrutar estará contido no bagaço, nada do que precisaria viver restará.

Não deixe sua vida ficar muito séria. Viva como se estivesse num jogo, saboreie tudo o que conseguir, as derrotas e as vitórias, a força do amanhecer e a poesia do anoitecer.

Brinque, mas brinque muito. A felicidade é feita de muitos sorvetes.

Três mulheres morreram e chegaram à porta do céu, onde encontraram são Pedro.

"Você evitou sexo na Terra?", ele perguntou para a primeira.

"Sim, completamente", ela respondeu.

"Muito bem", disse são Pedro. "Aqui está a chave dourada, ela abrirá as portas do paraíso".

A seguir, ele se voltou para a segunda mulher e indagou:

"E quanto a você?"

"Bem", ela respondeu, "mais ou menos."

"Está bem", disse são Pedro. "Aqui está uma chave de prata, ela abrirá as portas do purgatório."

Então ele perguntou à terceira mulher:

"E quanto a você?"

"Eu? Eu fiz todas as coisas que você pode imaginar e também muitas coisas que não pode imaginar!"

"Ótimo!", disse são Pedro. "Aqui está a chave do meu quarto, eu estarei lá num minuto."

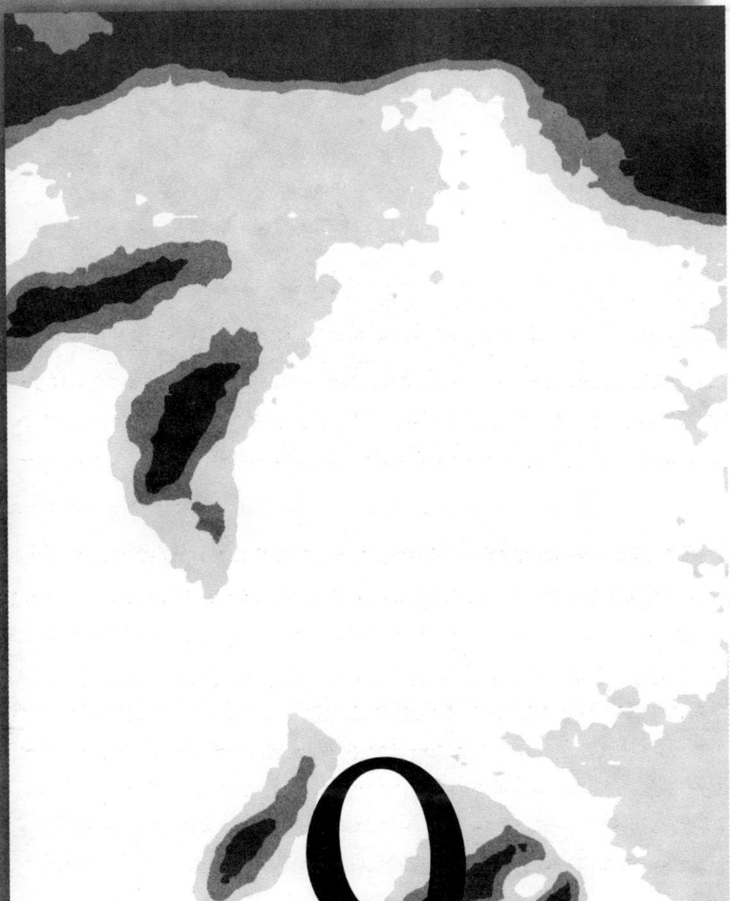

9
A vida é uma brincadeira evolutiva

Quando eu estava com mestre Osho, na Índia, ouvi um discípulo perguntar:

— Mestre, não tenho nenhuma vontade de me iluminar. Meu único desejo é viver uma vida normal. Você pode me ajudar a ser simplesmente um ser humano?

Osho respondeu:

— Essa é a única coisa em que não posso ajudá-lo. Ninguém pode querer ser simplesmente um ser humano, porque estamos apenas de passagem por aqui. Você vai ter de continuar. Sua pergunta equivale a dizer que uma criança pode ser simplesmente criança ou um adolescente apenas adolescente. Se alguém deseja viver a vida inteira como criança ou adolescente, será desajustado. A única opção saudável de vida é aquela que o leva em direção à suprema compreensão. Ser um homem normal é somente uma pousada no meio do caminho. E ninguém pode viver eternamente em uma pousada provisória.

Um dos maiores desafios da raça humana é evoluir do cérebro que lhe garante a sobrevivência para o cérebro que realiza a sua consciência.

O cérebro humano, apesar de toda a evolução, ainda funciona como se vivêssemos na floresta. Em toda situação potencialmente ameaçadora fugimos ou atacamos. A maioria das pessoas vive em um estado de medo permanente, desconfia de tudo e de todos. Não vivemos mais nos tempos das cavernas, mas, para essas pessoas, a vida é tão ameaçadora quanto então.

Quando observamos os estilos de vida das pessoas podemos diferenciá-las em três tipos diferentes:

- o homem-animal
- o homem humano
- o homem divino.

Quais são as diferenças entre pessoas que predominantemente vivem nessas três fases do desenvolvimento?

O homem-animal vive para evitar a dor, sua motivação é garantir a sobrevivência e resolver seus problemas quando for ameaçado de punição. É o funcionário que só melhora o desempenho quando sente medo de ser demitido, o empresário que faz as mudanças necessárias na empresa apenas quando se dá conta de que está indo à falência, o marido que só trata bem a esposa quando percebe que a está perdendo, o pai que decide dialogar com o filho quando descobre que ele está usando drogas, o adolescente que só estuda quando percebe que vai perder o ano.

São exemplos de homem-animal garantindo a sobrevivência. Pessoas assim só melhoram a maneira de agir quando se sentem ameaçadas. Mudam para não sofrer e acabam sofrendo muito para mudar. Como esse tipo de pessoa só evolui quando se sente ameaçada, ela inevitavelmente cria ameaças e fortes pressões para si mesma.

Viver como ser humano significa mais do que isso. Significa ter metas.

As diferenças entre o indivíduo animal e o humano estão justamente no estabelecimento das metas e da visão de futuro que elas representam. O primeiro evita fumar porque tem medo de uma crise asmática ou de desenvolver um câncer. O segundo pára de fumar porque sua meta é ter saúde e vida longa.

Melhorar o desempenho no trabalho pode ter uma versão animal, vivida por quem apenas quer evitar a demissão, e uma humana, proveniente da pessoa que quer galgar novos degraus na carreira.

O aluno que estuda só para passar de ano é a versão animal; aquele que estuda para construir seu futuro é a versão humana.

O marido que chega cedo em casa para evitar brigas com a esposa pode estar apenas cumprindo sua função animal, mas se ele deseja fazer da sua chegada um momento especial para o casal estará vivendo seu papel de humano.

O pai que conversa com o filho apenas por medo de que ele use drogas é um homem-animal. Mas o pai que age dessa forma para criar uma amizade sólida e bonita entre eles é um homem humano.

O ser humano atua motivado pela realização de seus objetivos. Toda ação tem um alvo mais adiante. Essa maneira de ver a vida é uma grande conquista para muitas pessoas. Ter dimensão de futuro constitui um avanço na perspectiva humana. Mas ainda falta algo.

O grande néctar da vida é a possibilidade de realizar o divino que existe dentro de cada um de nós.

O prazer de desenvolver a sua luz interior e realizar a beleza do seu ser transforma o homem na mais sublime explosão de paz e amor. Quando alguém tem plena consciência da própria grandeza como ser humano imprime a todas as suas ações mais ânimo, garra e satisfação. Trabalha melhor não porque tem medo de ser demitido ou porque pretende aumentar seu salário, mas porque sente dentro de seu coração a força da criação divina.

Vive momentos deliciosos com a família porque isso lhe dá prazer, e não só para cumprir obrigações ou ceder às queixas da esposa ou filhos.

Está sempre presente na vida dos pais porque gosta da companhia deles e não para se isentar de culpa.

O homem divino desfruta o prazer da evolução. Ele só sabe

viver uma relação de amor com as pessoas. Então, as metas da sua alma concretizam-se como num passe de mágica.

Muitas pessoas conseguem experimentar a força divina na vida profissional, mas, no amor, vivem acuadas como animais enjaulados, com medo de ser rejeitadas, sentindo-se abandonadas. Por que isso ocorre?

Porque não evoluímos igualmente em todas as áreas de nossas vidas. Naquelas em que estamos menos evoluídos sofremos mais. Cada um de nós é uma obra incompleta a caminho da evolução permanente. Se fosse possível fazer um gráfico do nosso desenvolvimento, ele não seria uma linha reta ascendente. Haveria picos e quedas, muitas vezes bastante acentuadas.

Também é impossível evoluir em tudo de uma mesma maneira. Cada gráfico tem um traço que mostra nosso desempenho, de acordo com nossa evolução.

As pessoas aprendem com a dor e o prazer. Quando você descobre o prazer de evoluir, a vida flui e quando você precisa de dor a vida torna-se um calvário.

O ser humano, quando descobre e experimenta seu significado existencial em toda a sua plenitude, transforma-se num ser divino e passa a ter poder para continuar sua criação.

Construímos famílias e riquezas, mas certamente nossa tarefa mais sublime é criar um homem divino, capaz de dar vida a um ser completo: nós mesmos. Continuamos a obra divina de nos criarmos com generosidade, compreensão e amor.

Por isso, avance...

Existem muito mais estrelas do que aquelas que nossos olhos conseguem enxergar; muito mais pessoas com o coração pleno de amor do que aquelas que conhecemos. Nossa casa é apenas o ponto de partida para a grande viagem em busca de nossa realização pessoal.

Na Índia, as pessoas se saúdam dizendo "namaste!", que significa: o Deus que existe em mim saúda o Deus que existe em você.

Namaste!

A vida é um agente de viagens

Muitas pessoas, na hora da morte, dizem:

— Sabe, doutor, a vida me enganou. Eu me sacrifiquei tanto, trabalhei demais, agora que eu ia começar a viver vejo que não tenho mais tempo. Se eu pudesse viver de novo, faria tantas coisas diferentes! Por favor, não me deixe morrer!

A vida não engana ninguém. A vida está aí a seu lado. Você pode conversar com ela, ouvi-la e olhá-la. Você pode senti-la dentro de você. Ela o está orientando o tempo todo; se não escutá-la o preço será muito alto.

Minha mãe, quando me via trabalhando muito, com vários compromissos, estressado, sem aproveitar a vida, dizia:

— Filho, o caixão não tem gavetas, não adianta acumular, dê um jeito de ser feliz agora.

Esta é a pergunta fundamental do filme da vida:

— O que você precisa para ser feliz agora, hoje?

> *Muitas pessoas pensam que a felicidade somente será possível depois de alcançar algo, mas a verdade é que deixar para ser feliz amanhã é uma forma de ser infeliz.*

Quando você estiver frustrado com alguém, sentindo-se triste com sua vida, pergunte: "O que você precisa para ser feliz neste momento?"

Na Índia, aprendi a cumprimentar as pessoas perguntando:

— Você está feliz?

Os indianos procuram lembrar aos seus amigos a importância da felicidade.

— Você está feliz?

As coisas que nos levam à felicidade são simples. Quando eu era médico e cuidava de pacientes terminais, no começo da minha carreira, percebi que a maioria das pessoas morria arrependida.

Elas sofriam por não ter prestado atenção a três aspectos:

O arrependimento mais freqüente diz respeito ao amor. Os dois lados do amor. Aquela grande paixão que você não abriu espaço para acontecer. Lembro-me de uma velhinha que me confidenciou:

— Doutor, eu preciso contar um segredo, por favor, escute-me.

Surpreso, concordei em ouvi-la.

Ela continuou:

— Doutor, eu não amava meu marido, vivi a vida inteira ao lado dele, mas não o amava. Eu amava mesmo, doutor, o seu Antônio do açougue. Todo o dia eu dava um jeito de ir até lá, ano após ano. Eu podia ir uma vez por semana, mas ia todos os dias, só para ver o seu Antônio. Quando ele me entregava o pacote de carne e me olhava, eu ficava com as pernas bambas. Você já ficou com as pernas bambas, doutor?

Eu tive vontade de responder:

— Eu estou com as pernas bambas agora.

— Doutor, eu nunca contei para ninguém e me arrependo tanto, me arrependo tanto de nunca ter falado para ele! Porque a minha impressão é que ele também gostava de mim.

Muitas pessoas se arrependem na hora da morte por não ter ido atrás do grande amor de suas vidas.

Mas o mais freqüente eram as pessoas que se arrependiam por não ter valorizado seus companheiros.

Quantas mulheres, na hora da morte, arrependiam-se e desabafavam:

— Sabe, doutor, eu fui muito mesquinha. Meu marido me amava tanto e eu passei a vida inteira brigando com ele só porque deixava o jornal esparramado pela casa. Eu passei a vida inteira brigando com ele só porque ele ficava tomando cerveja com os amigos em vez de ir direto para casa. Sabe, doutor, às vezes ele me convidava para sair e eu dizia: "Não, vamos ficar em casa, a gente precisa tomar conta da casa, senão vão roubar. Como eu me arrependo por não ter curtido meu marido!"

Os homens também falavam:

— Sabe, doutor, a felicidade da minha mulher era me fazer feliz, ela sempre procurou realizar todos os meu desejos, todas as minhas vontades e eu não consegui transmitir meu amor para ela. Eu nunca tive coragem de fazer um gesto de amor espontâneo. Eu conseguia dar um abraço, um beijo, no aniversário, no Natal. As nossas relações sexuais eram sempre rápidas e eu nunca me preocupei em saber se ela estava satisfeita. Nunca realizei um pedido dela na hora, sempre fazia com que ela implorasse durante um ano, dois, só para mostrar que era eu quem mandava em casa. Como eu me arrependo disso, doutor!

A segunda coisa de que as pessoas se arrependem na hora da morte é de não ter dado atenção aos filhos. E quando eu falo isso, você, que trabalha fora, talvez pense: "Roberto, será que é melhor deixar de trabalhar para cuidar de meus filhos em período integral?" Minha resposta é não. Seu filho não vai agüentar você o dia inteiro. Já se imaginou perguntando a toda hora: "Já escovou os dentes? Já lavou o rosto? Já tomou banho? Já fez a lição de casa?" Seu filho não precisa de você o dia inteiro, mas certamente você precisa dispor de um tempo para ficar com seu filho.

Hoje, com tantas exigências do mundo, existem mães que cuidam dos filhos o tempo todo, mas não conseguem, de verdade, olhá-los nos olhos e transmitir seu amor. Na verdade, a gente vê muitos pais que se sacrificam para dar o melhor a seus filhos, mas quando eu pergunto: "Você falou para o seu filho que o ama?" a resposta normalmente é: "Não, Roberto, eu não disse, mas ele sabe que eu o amo, sabe que eu gosto dele". É importante verbalizar o amor por seu filho. É importante conseguir aproveitar aquele momento entre você e seu filho porque, certamente, essa relação é essencial para que você sinta que a vida valeu, e vale, a pena.

A terceira coisa de que as pessoas se arrependem na hora da morte é de não ter corrido atrás de seus sonhos. De ter fugido dos desafios. Quantas pessoas me diziam: "Sabe, doutor, eu me arrependo muito de não ter ido atrás dos meus sonhos. Eu queria ser advogado, mas fiquei cuidando da fazenda de meu pai. Eu odiava a fazenda, odiava boi, não tinha paciência para ficar naquele silêncio, queria a agitação da cidade. Mas fiquei lá porque meu pai me pediu e era o jeito mais fácil de ganhar dinheiro".

Uma história de meu pai

Um dia, quando já era médico, fui passar um fim de semana na casa dos meus pais, em Santos. No sábado à noite, resolvi sair e, quando retornei, lá pelas duas da madrugada, percebi a luz acesa no escritório de meu pai.

Dei um sorriso, daqueles que filho dá quando sente que é uma oportunidade para fazer uma brincadeira com o velho. Meu pai sempre foi uma pessoa exigente e disciplinada e me lembrava o tempo todo de apagar as luzes da casa. Imediatamente, pensei: "Amanhã cedo vou atazanar o velho". Caminhei em direção ao escritório para apagar a luz e percebi que lá dentro havia alguém. Fiquei surpreso, pois meu pai nunca dormia depois das onze. Seria um estranho? Um ladrão? Quem estaria lá? Entrei com a ousadia e a impulsividade comuns aos jovens, mas, quando cheguei perto, ouvi o choro de meu pai. Acho que foi a primeira vez que o vi chorando. Preocupado com a possibilidade de estar acontecendo alguma desgraça, entrei e perguntei:

— Pai, o que está havendo?

Ele olhou para mim com uma expressão muito angustiada e disse:

— Sabe, filho, estou muito triste, porque sinto que perdi a minha vida. Realizei todas as metas a que me propus: fui uma criança pobre que queria ter dinheiro, e consegui dinheiro. Queria ter uma casa linda, e a gente tem. Queria conquistar o respeito das pessoas, e hoje elas me respeitam. Realizei todas as minhas metas, filho, mas não consegui ser feliz... Não vi vocês crescendo e tenho a sensação de que não vivi em paz. É muito triste, filho. Depois de dois enfartes, tenho a impressão de que vou morrer sem ter conseguido ser feliz. Fiz as coisas que os outros esperavam que eu fizesse, que desejavam que eu fizesse, mas fico me perguntando se fiz as coisas que me fariam feliz. Agora tenho a sensação de que é muito tarde para viver.

Ficamos conversando durante muito tempo e, quando os raios da manhã penetraram entre as frestas da janela, já mais calmo, ele me contou:

— Sabe, filho, às vezes percebo você correndo atrás do sucesso e se esquecendo da vida, esquecendo de si mesmo. Quero lhe pedir que não viva simplesmente para ter o sucesso e a admiração dos outros, viva para ser feliz. Não quero que, no futuro, você conclua que conseguiu a admiração de todos mas não foi feliz, pois a dor é muito grande.

A gente se abraçou e, a partir daquele momento, algo mudou entre nós. Passamos a ser amigos de verdade. Depois dessa conversa, meu pai ainda viveu mais ou menos quinze anos e, quando ele se foi, deixou uma herança muito especial: a transformação que fez em sua vida.

Ele mudou intensamente. Nos últimos anos, tornou-se mais afetivo, mais carinhoso, freqüentemente ligava para dizer que estava com saudades e a gente conversava muito. Lembro-me dos seus últimos anos de vida como um presente muito lindo que recebi.

Antes que o dia termine

Talvez, ao me ouvir falar em felicidade, você se pergunte se eu não tenho problemas, se tudo dá sempre certo para mim, se nunca passei por uma grande dificuldade que me tenha deixado marcas, como ocorre com a maioria das pessoas.

É claro que sim, sou como todo mundo. Tenho angústias, fico estressado, as pessoas às vezes me traem, mas eu procuro comer os morangos da vida.

Um sujeito estava caindo em um barranco e se agarrou às raízes de uma árvore. Em cima do barranco, havia um urso imenso querendo devorá-lo. O urso rosnava, mostrava os dentes, babava de ansiedade pelo prato que tinha a sua frente.

Embaixo, prontas para engoli-lo quando caísse, estavam nada mais nada menos do que seis onças tremendamente famintas.

Ele erguia a cabeça, olhava para cima e via o urso rosnando. Abaixava depressa a cabeça para não perdê-la na sua boca. Quando o urso dava uma folga, ouvia o urro das onças, próximas do seu pé.

As onças embaixo querendo comê-lo, e o urso em cima querendo devorá-lo.

Em determinado momento, ele olhou para o lado esquerdo e viu um morango vermelho, lindo, com aquelas escamas douradas refletindo o sol. Num esforço supremo, apoiou seu corpo, sustentado apenas pela mão direita, e, com a esquerda, pegou o morango. Quando pôde olhá-lo melhor, ficou inebriado com sua beleza. Então, levou o morango à boca e se deliciou com o sabor doce e suculento. Foi um prazer supremo comer aquele morango tão gostoso.

Deu para entender?

Talvez você me pergunte: "Mas, e o urso?"

Dane-se o urso e coma o morango!

E as onças?

Azar das onças, coma o morango!

Às vezes, você está em sua casa no final de semana com seus filhos e amigos, comendo um churrasco. Percebendo seu mau humor, sua esposa lhe diz:

— Meu bem, relaxe e aproveite o domingo!

E você, chateado, responde: "Como posso curtir o domingo se amanhã vai ter um monte de ursos querendo me pegar na empresa?"

Relaxe, como está na Bíblia, e viva um dia por vez: coma o morango.

Problemas acontecem na vida de todos nós, até o último suspiro. Sempre existirão ursos querendo comer nossas cabeças e onças, arrancar nossos pés. Isso faz parte da vida e é importante que saibamos viver dentro desse cenário. Mas nós precisamos saber comer os morangos, sempre.

A gente não pode deixar de comê-los só porque existem ursos e onças.

Você pode argumentar:

— Roberto, eu tenho muitos problemas para resolver.

Problemas não impedem ninguém de ser feliz.

O fato de seu chefe ser um chato não é motivo para você

deixar de gostar de seu trabalho. O fato de sua mulher estar com tensão pré-menstrual não os impede de tomar sorvete juntos. O fato de seu filho ir mal na escola não é razão para não dar um passeio pelo campo. Coma o morango, não deixe que ele escape. Poderá não haver outra oportunidade de experimentar algo tão saboroso. Saboreie os bons momentos.

Sempre existirão ursos, onças e morangos. Eles fazem parte da vida. Mas o importante é saber aproveitar o morango, porque o urso e a onça não dá para aproveitar. Coma o morango quando ele aparecer. Não deixe para depois.

O melhor momento para ser feliz é agora.

O futuro é uma ilusão que sempre será diferente do que imaginamos.

As pessoas vêem o sucesso como uma miragem. Como aquela história da cenoura pendurada na frente do burro que nunca a alcança. As pessoas visualizam metas e, quando as realizam, descobrem que elas não trouxeram felicidade. Então, continuam avançando e inventam outras metas que também não as tornam felizes. Vivem esperando o dia em que alcançarão algo que as deixará felizes.

Elas esquecem que a felicidade é construída todos os dias.

A felicidade não é algo que você vai conquistar fora de você...

A felicidade é algo que vive dentro de você, de seu coração.

A felicidade é a oportunidade que você cria para ser o artista de sua autocriação.

Eu aqui, no meu canto, torço para que você descubra sua maneira de ser feliz.

Com carinho,

Roberto Shinyashiki
Inverno de 1997

☑ SIM. Gostaria de receber gratuitamente informações sobre os lançamentos da Editora Gente.

Nome: ______

Endereço: ______

Cidade: ______ **UF:** ______ **Cep:** ______ - ______ Com.: ☐ Resid.: ☐

Tel.: ______ - ______ - ______ **Fax.:** ______ - ______ - ______ **Data Nasc.:** ______ (Dia) - ______ (Mês) - ______ (Ano)

E-mail: ______ **Sexo:** ☐ M ☐ F

Estado Civil: ☐ Solteiro ☐ Viúvo ☐ Casado ☐ Divorciado

Formação Escolar: ☐ 1º Grau ☐ Superior ☐ 2º Grau ☐ Pós-Graduado

---

Ocupação:

- ☐ Estudante
- ☐ Prendas Domésticas
- ☐ Empregado Setor Privado
- ☐ Empregado Setor Público
- ☐ Empresário
- ☐ Profissional Liberal
- ☐ Autônomo
- ☐ Aposentado

Áreas de Interesse:

- ☐ Marketing
- ☐ Tendências/Estratégia
- ☐ Recursos Humanos
- ☐ Finanças/Economia
- ☐ Psicologia
- ☐ Auto-Ajuda
- ☐ Religião
- ☐ Esotérico
- ☐ Outros: ______

Onde você comprou este livro?

______

Aspecto mais interessante:

☐ Preço ☐ Autor
☐ Capa ☐ Editora
☐ Assunto

Nº livros comprados no último ano:

☐ Até 10 ☐ 11 - 20 ☐ + 20

10000

☐ Não gostaria de receber promoções de outras empresas.

DOBRE AQUI E COLE

PRT/SP-5421/99
UP-AC GUAICURUS
DR/SÃO PAULO

CARTA RESPOSTA

NÃO É NECESSÁRIO SELAR

O SELO SERÁ PAGO POR

EDITORA GENTE

05033-999 SÃO PAULO - SP

DOBRE AQUI